U0636068

中國文化二千四品

中国文化二十四品

文库

饶宗颐 叶嘉莹 顾问
陈　洪 徐兴无 主编

天工开物

科技与方术

李建珊　贾向桐　著

江苏人民出版社

图书在版编目（ＣＩＰ）数据

天工开物：科技与方术 / 李建珊，贾向桐著. --
南京 ：江苏人民出版社，2017.1
（中国文化二十四品）
ISBN 978-7-214-17401-7

Ⅰ．①天… Ⅱ．①李… ②贾… Ⅲ．①科学技术－技
术史－中国－古代 Ⅳ．①N092

中国版本图书馆CIP数据核字(2016)第048221号

书　　　　名	天工开物——科技与方术	
著　　　　者	李建珊　贾向桐	
责 任 编 辑	史雪莲	
责 任 校 对	卞清波	
装 帧 设 计	刘葶葶　张大鲁	
出 版 发 行	凤凰出版传媒股份有限公司	
	江苏人民出版社	
出版社地址	南京市湖南路 1 号 A 楼，邮编：210009	
出版社网址	http://www.jspph.com	
经　　　　销	凤凰出版传媒股份有限公司	
照　　　　排	南京凯建图文制作有限公司	
印　　　　刷	江苏凤凰扬州鑫华印刷有限公司	
开　　　　本	652 毫米×960 毫米　1/16	
印　　　　张	12.5　　插页 3	
字　　　　数	140 千字	
版　　　　次	2017 年 1 月第 1 版　2017 年 3 月第 2 次印刷	
标 准 书 号	ISBN 978－7－214－17401－7	
定　　　　价	30.00 元	

（江苏人民出版社图书凡印装错误可向承印厂调换）

编委会名单

顾　问

饶宗颐

叶嘉莹

主　编

陈　洪（南开大学教授）

徐兴无（南京大学教授）

编　委

王子今（中国人民大学教授）　　司冰琳（首都师范大学副教授）

白长虹（南开大学教授）　　　　孙中堂（天津中医药大学教授）

闫广芬（天津大学教授）　　　　张伯伟（南京大学教授）

张峰屹（南开大学教授）　　　　李建珊（南开大学教授）

李翔海（北京大学教授）　　　　杨英杰（辽宁师范大学教授）

陈引驰（复旦大学教授）　　　　陈　致（香港浸会大学教授）

陈　洪（南开大学教授）　　　　周德丰（南开大学教授）

杭　间（中国美术学院教授）　　侯　杰（南开大学教授）

俞士玲（南京大学教授）　　　　赵　益（南京大学教授）

徐兴无（南京大学教授）　　　　莫砺锋（南京大学教授）

陶慕宁（南开大学教授）　　　　高永久（兰州大学教授）

黄德宽（安徽大学教授）　　　　程章灿（南京大学教授）

解玉峰（南京大学教授）

总　序

陈　洪　徐兴无

　　我们生活在文化之中，"文化"两个字是挂在嘴边上的词语，可是真要让我们说清楚文化是什么，可能就会含糊其词、吞吞吐吐了。这不怪我们，据说学术界也有 160 多种关于文化的定义。定义多，不意味着人们的思想混乱，而是文化的内涵太丰富，一言难尽。1871 年，英国文化人类学家爱德华·泰勒的《原始文化》中给出了一个定义："文化，或文明，就其广泛的民族学意义上来说，是包含全部的知识、信仰、艺术、道德、法律、风俗，以及作为社会成员的人所掌握和接受的任何其他的才能和习惯的复合体。"[①]其实，所谓"文化"，是相对于所谓"自然"而言的，在中国古代的观念里，自然属于"天"，文化属于"人"，只要是人类的活动及其成果，都可以归结为文化。孔子说："饮食男女，人之大欲存焉。"[②]在这种自然欲望的驱动下，人类的活动与创造不外乎两类：生产与生殖；目标只有两个：生存与发展。但是人的生殖与生产不再是自然意义上的物种延续与食物摄取，人类生产出物质财富与精神财富，不再靠天吃饭，人不仅传递、交换基因和大自然赋予的本能，还传承、交流文化知识、智慧、情感与信仰，于是人种的繁殖与延续也成了文化的延续。

　　所以，文化根源于人类的创造能力，文化使人类摆脱了

---

　　① ［英］爱德华·泰勒：《原始文化》，连树声译，谢继胜、尹虎彬、姜德顺校，广西师范大学出版社，2005 年，第 1 页。

　　② 《礼记·礼运》。

自然,创造出一个属于自己的世界,让自己如鱼得水一样地生活于其中,每一个生长在人群中的人都是有文化的人,并且凭借我们的文化与自然界进行交换,利用自然、改变自然。

由于文化存在于永不停息的人类活动之中,所以人类的文化是丰富多彩、不断变化的。不同的文化有不同的方向、不同的特质、不同的形式。因为有这些差异,有的文化衰落了甚至消失了,有的文化自我更新了,人们甚至认为:"文化"这个术语与其说是名词,不如说是动词。[①] 本世纪初联合国发布的《世界文化报告》中说,随着全球化的进程和信息技术的革命,"文化再也不是以前人们所认为的是个静止不变的、封闭的、固定的集装箱。文化实际上变成了通过媒体和国际因特网在全球进行交流的跨越分界的创造。我们现在必须把文化看作一个过程,而不是一个已经完成的产品"[②]。

知道文化是什么之后,还要了解一下文化观,也就是人们对文化的认识与态度。文化观首先要回答下面的问题:我们的文化是从哪里来的? 不同的民族、宗教、文化共同体中的人们的看法异彩纷呈,但自古以来,人类有一个共同的信仰,那就是:文化不是我们这些平凡的人创造的。

有的认为是神赐予的,比如古希腊神话中,神的后裔普罗米修斯不仅造了人,而且教会人类认识天文地理、制造舟车、掌握文字,还给人类盗来了文明的火种。代表希伯来文化的《旧约》中,上帝用了一个星期创造世界,在第六天按照自己的样子创造了人类,并教会人们获得食物的方法,赋予人类管理世界的文化使命。

---

① 参见[荷兰]C. A. 冯·皮尔森:《文化战略》,刘利圭等译,中国社会科学出版社,1992年,第2页。

② 联合国教科文组织编:《世界文化报告——文化的多样性、冲突与多元共存》,关世杰等译,北京大学出版社,2002年,第9页。

有的认为是圣人创造的，这方面，中国古代文化堪称代表：火是燧人氏发现的，八卦是伏羲画的，舟车是黄帝造的，文字是仓颉造的……不过圣人创造文化不是凭空想出来的，而是受到天地万物和自我身体的启示，中国古老的《易经》里说古代圣人造物的方法是："仰则观象于天，俯则观法于地，观鸟兽之文与地之宜，近取诸身，远取诸物。"《易经》最早给出了中国的"文化"和"文明"的定义："刚柔交错，天文也。文明以止，人文也。观乎天文，以察时变；观乎人文，以化成天下。"文指文采、纹理，引申为文饰与秩序。因为有刚、柔两种力量的交会作用，宇宙摆脱了混沌无序，于是有了天文。天文焕发出的光明被人类效法取用，于是摆脱了野蛮，有了人文。圣人通过观察天文，预知自然的变化；通过观察人文，教化人类社会。《易经》还告诉我们："一阴一阳之谓道，继之者善也，成之者性也。仁者见之谓之仁，知者见之谓之知。"宇宙自然中存在、运行着"道"，其中包含着阴阳两种动力，它们就像男人和女人生育子女一样不断化生着万事万物，赋予事物种种本性，只有圣人、君子们才能受到"道"的启发，从中见仁见智，这种觉悟和意识相当于我们现代文化学理论中所谓的"文化自觉"。

为什么圣人能够这样呢？因为我们这些平凡的百姓不具备"文化自觉"的意识，身在道中却不知道。所以《易经》感慨道："百姓日用而不知，故君子之道鲜矣。"什么是"君子之道鲜"？"鲜"就是少，指的是文化不昌明，因此必须等待圣人来启蒙教化百姓。中国文化中的文化使命是由圣贤来承担的，所以孟子说，上天生育人民，让其中的"先知觉后知""先觉觉后觉"[①]。

---

① 《孟子·万章》。

无论文化是神灵赐予的还是圣人创造的，都是崇高神圣的，因此每个文化共同体的人们都会认同、赞美自己的文化，以自己的文化价值观看待自然、社会和自我，调节个人心灵与环境的关系，养成和谐的行为方式。

中国现在正处在一个喜欢谈论文化的时代。平民百姓关注茶文化、酒文化、美食文化、养生文化，说明我们希望为平凡的日常生活寻找一些价值与意义。社会、国家关注政治文化、道德文化、风俗文化、传统文化、文化传承与创新，提倡发扬优秀的传统文化，说明我们希望为国家和民族寻求精神力量与发展方向。神和圣人统治、教化天下的时代已经成为历史，只有我们这些平凡的百姓都有了"文化自觉"，认识到我们每个人都是文化的继承者和创造者，整个社会和国家才能拥有"文化自信"。

不过，我们越是在摆脱"百姓日用而不知"的"文化蒙昧"时代，就越是要反思我们的"文化自觉"，因为"文化自觉"是很难达到的境界。喜欢谈论文化，懂点文化，或者有了"文化意识"就能有"文化自觉"吗？答案是否定的。比如我们常常表现出"文化自大"或者"文化自卑"两种文化意识，为什么会这样呢？因为我们不可能生活在单一不变的文化之中，从古到今，中国文化不断地与其他文化邂逅、对话、冲突、融合；我们生活在其中的中国文化不仅不再是古代的文化，而且不停地在变革着。此时我们或者会受到自身文化的局限，或者会受到其他文化的左右，产生错误的文化意识。子在川上曰："逝者如斯夫。"流水如此，文化也如此。对于中国文化的主流和脉络，我们不仅要有"春江水暖鸭先知"一般的亲切体会和细微察觉，还要像孔子那样站在岸上观察，用人类历史长河的时间坐标和全球多元文化的空间坐标定位中国文化，才能获得超越的眼光和客观真实的知识，增强与其他文化交流、借鉴、融合的能力，增强变革、创新自己的文化的能力，这也叫做"文化自主"的能力。中国当代社会人类学家费孝通先生说：

> "文化自觉"是当今时代的要求，它指的是生活在一定文化中的人对其文化有自知之明，并对其发展历程和未来有充分的认识。也许可以说，文化自觉就是在全球范围内提倡"和而不同"的文化观的一种具体体现。希望中国文化在对全球化潮流的回应中能够继往开来，大有作为。①

因为要具备"文化自觉"的意识、树立"文化自信"的心态、增强"文化自主"的能力，所以，我们这些平凡的百姓需要不断地了解自己的文化，进而了解他人的文化。

中国文化是我们自己的文化，它博大精深，但也不是不得其门而入。为此，我们这些学人们集合到一起，共同编写了这套有关中国文化的通识丛书，向读者介绍中国文化的发展历程、特征、物质成就、制度文明和精神文明等主要知识，在介绍的同时，帮助读者选读一些有关中国文化的经典资料。在这里我们特别感谢饶宗颐和叶嘉莹两位大师前辈的指导与支持，他们还担任了本丛书的顾问。

中国文化崇尚"天人合一"，中国人写书也有"究天人之际，通古今之变"的理想，甚至将书中的内容按照宇宙的秩序罗列，比如中国古代的《周礼》设计国家制度，按照时空秩序分为"天地春夏秋冬"六大官僚系统；吕不韦编写《吕氏春

---

① 费孝通：《经济全球化和中国"三级两跳"中的文化思考》，《光明日报》2000年11月7日。

秋》，按照一年十二月为序，编为《十二纪》；唐代司空图写作《诗品》品评中国的诗歌风格，又称《二十四诗品》，因为一年有二十四个节气。我们这套丛书，虽不能穷尽中国文化的内容，但希望能体现中国文化的趣味，于是借用了"二十四品"的雅号，奉献一组中国文化的小品，相信读者一定能够以小知大，由浅入深，如古人所说："尝一脔肉，而知一镬之味，一鼎之调。"

2015 年 7 月

目　录

中西科技文化的对比——对"李约瑟问题"的回应

结语

绪　言

中华文明是整个人类文明的杰出代表,也是世界上最悠久、最灿烂的伟大文明之一,它为整个人类社会的发展作出了难以估量的贡献。在辉煌灿烂的中华民族文化中,古代的科学技术占有非常特殊而且重要的位置。依托于独具特色、源远流长的中华文化,我国古代的科学技术具有一种独特的完满性和独立性,时至今日仍在发挥着巨大的影响力。从中华民族的起端开始,科学技术就由于与特殊的中国地理环境、气候等因素密切相关而在文化上自成一体,独立发展,自成一脉。我国古代的科学技术在漫长的历史文明的长河中,逐渐形成了极为独特的"民族魅力"。

恩格斯在《自然辩证法》中曾经这样描述自然科学各个学科的出现和发展情况:"自然科学的各个部门存在着一种顺序的发展状况,首先是天文学的出现,因为最初的游牧民族和农业民族为了定季节,就绝对需要它。而且,天文学只有借助于数学才能发展起来。因此人们也开始了数学的研究。再后来,在农业发展的某一个阶段和在某个地区(例如埃及的提水灌溉),特别是随着城市和大建筑物的产生以及手工业的发展,力学也发展起来。之外,航海和战争也都需要它。同时,力学也需要数学的帮助,因而力学又反过来推动了数学的发展。这样,科学的发生和发展一开始就是由生产决定的。"恩格斯的这一论断同样适用于对我国古代科学技术的起源与发展问题的探讨。中国古代科学技术的一大突出特点是与人们的现实生活密切相关,无论是天文学、物理学、数学、医学还是工艺技术,都直接与当时人们的社会生活和生产需要紧密联系。

这也是人们常常把我国古代科技的特点归结为实用性和工具性的重要原因所在。古代的科学技术正是人们与自然界打交道的工具和手段,即"器",其本身具有的实用性是不言而喻的。例如,在我国古代天文学中历法一直占据着非常重要的位置,而天文历法又是和人们的日常生活,特别是农业生产息息相关的。中国古代数学也不像古希腊几何学那样几乎完全脱离经验与日常生活,推崇纯粹的理性思辨与形式逻辑,我国的古代数学更多的是和当时的社会生产和实用生活结合在一起的,所以数学应用和计算是其中的关键环节。其他学科也都有类似的特点,因为它们尚未与人类社会完全脱离,科学技术与整个文化是融为一体的。古代科学技术的这种与现实社会的交融状况,就决定了其经验性的一面。因为古代数学、物理学等所要处理的问题是以经验生活中的具体问题为主要对象的,人们在现实生活中遇到什么样的经验问题,科学技术就要解决相应的问题,这样一来,传统科学中的工程技术思维就相对发达,而超越于日常经验的纯粹理论思维就要相对欠缺一些。所以,从现代科学的概念角度来看,我国古代技术传统发达,而理论科学传统则较为薄弱的原因也在于此。

如果我们再进一步结合我国古代农业社会这一基本事

实,就可以更好地理解中国古代科技的发展轨迹与特征。这也是我们要深入理解我国古代科技的一个根本视角:从农业社会这一历史情况出发去考察和理解已孕育了数千年的古代辉煌科技文明,农业文明是古代科技发生和发展的主要土壤。科学技术是人类与自然界相互作用的产物,它体现的是人与自然关系之间的一种张力。在农业文明中,人类对大自然存在较大的依附关系,其能动性对自然界的反作用也较小,也就是说在人与自然的关系问题上,人类是较被动的一方,只能所谓"看天吃饭"。在这种情况下,人与自然实际上实现了某种原始的有机和谐关系,当然这是人类处于被动位置下的相对和谐。这种关系表现在自然观方面,主要体现为一种"天人合一"的观念。庄子说,天地与我并在,万物与我为一体。宋代哲学家张载在《张渠集·西铭》中的话也同样很有代表性:"民,吾同胞;物,吾与也。"无论庄子还是张载都是在描述这种观念。

科学技术作为人与自然微妙关系的感受器,集中体现了人类文明发展的程度与特色。在天人合一的文化传统中,我国古代科技和这种文化传统是一致的,自然界、人类社会构成了一个统一的有机整体,科学技术正是沟通人类与自然的有效途径,科学技术见证了人与自然之间的和谐关系。

鉴于中国古代科学技术与文化的独特性,我们不能简单地以西方现代科学作为评价标准。事实上,类似于古希腊时期的自然哲学,中国古代的科学技术是无所不包、无所不含的文化,它与中国古代文化是一个完整的有机体。我们对其中每一部分的理解都应当放在这个文化整体之中去把握。如果我们仅仅依照西方科学与之僵化对照,我国古代科学技术的精髓和价值就大大流失了。其实,许多学者也意识到了这一问题,中国科技史专家李约瑟的名著 *Science and Civi-*

lization in China 的原意是"中国科学与文明",而其汉译书名《中国科学技术史》则有些过于简单化了。

　　正是基于以上理由,本书的副标题没有采用"中国古代科技史",而是采用了"中华科技文明史话"。本书大标题之所以借用"天工开物"这个词语,无非是为了凸显曾经优越于西方的悠久的工艺技术传统在我国科技文明中的重要地位。本书在介绍中国古代科技工艺(手工业、建筑、农业等)的同时,没有完全按照西方自然科学的分类和标准,又进一步简单介绍了一些中国古代的数术思想(体现在历法、天文、数学、物理学、风水等方面)。当然,由于本书属于系列丛书"中国文化二十四品"之一,也就不得不取舍掉古代科技文明中的一些重要部分(如中医、文化地理、声乐等)。简而言之,我们的目的是通过这些介绍,让读者理解我国古代科技文明的基本种类、源流、内容和成就,以及蕴含于其中的智慧。

中国古代农业概览

中国是世界上著名的农业古国,在数千年的历史发展过程中,中华民族在农业生产的各个领域都取得了辉煌的成就,创造了一个璀璨的农业文明奇迹。自古以来,农业就是中国社会的立国之本,所谓"民以食为天",可以说,中华文明所取得的伟大成就正是建立在农耕文明基础之上的。也正是出于这一原因,不同时期农业的实际发展状况成为显示我国古代科学技术与文化水平的"晴雨表"。在此情况下,农业文明构成了我国古代科学技术文明发展的基石和重要参照背景,要了解中国古代科学技术的真实发展情况,农业是最为关键的视角。所以,我们在具体介绍中国古代其他科学技术状况之前,首先以农业发展作为开篇。

古代农业发展概述

在本部分,我们首先简要了解一下中国古代农业发展的基本情况,然后再详细分析其农学思想的基本内容与特征。并以此为基础,结合古代农业文明的状况,深入理解整个古代中华科技文明。

一

从古至今,中国一直是世界上极少数的农业大国之一,也是世界农业文明起源和发展的中心之一。早在远古时期,我们的先民们就已经生活在这片富饶广阔的土地上,当时丰富的原始自然资源为早期人类的生存和发展提供了充足的物质资料。中国古代社会的发展首先得益于我国自然地理环境的优越性,像世界其他文明古国,诸如两河流域的古巴比伦、尼罗河流域的古埃及一样,黄河流域、长江流域孕育了我国早期的农业文明。这里有农业种植所需的肥沃土壤,大河提供了充沛的灌溉水源和便利的交通,加之天气气候的适宜、地理环境的优越和地势的平坦,使得中国农业发展有着得天独厚的先天优势。原始先民在植物采集、渔猎的生产过程中,适于农业发展的自然环境使得农耕、种植业的地位越来越重要,原始农业逐渐发展成为人们生活立足的根本,而畜牧业、渔猎等处于较为从属的地位,人们过着植物采集和春种秋收的田园式农耕生活。

其实,神农氏的神话故事就反映了这一时期我国农业发展的一些简单情况:在上古时期,由于人口数量的不断剧增,以往赖以为食的禽兽肉不足以供养如此众多的人口了,人们的生活逐渐陷入困境。这时候有一个叫神农的人,看到当时人们的生活困苦不堪,就用木头制成了早期的农业生产工具——耜、耒,并传授人们用这些农具在土地上耕种农作物以谋生的方法。从此,人们又能够安居乐业了。在司马迁的《史记》中还记载了一个叫"后稷"的人的故事:后稷是古代传说中中国农业的始祖,"后稷"这个名字是尧帝给的封号。在后稷小的时候,母亲给他起的名字是"弃",弃从小就有很远大的理想,他特别喜欢种植各种农作物,而且知道如何使农作物生长得苗壮。等到弃长大成人之后,就更加擅长农业耕作了,他是当时最有名的种植高手,人们都纷纷向他学习农耕经验。后来,尧帝听说了这件事,就请弃来当农官,专门管理天下的农业种植。在弃的精心治理下,农业连获丰收,使得天下太平。弃为天下的安定立下了汗马功劳,尧帝也对弃的贡献极为肯定,并称弃为"后稷"。从此,后稷便成为我国农业的始祖,故《史记》中说他精通农业知识和相关技术,善于种植各种农作物,他为古代农耕种植业作出了杰出贡献。

事实上,这只是我国古代刀耕火种时期农业开端的传说,但这些传说也反映了农耕在早期人类生活中的重大意义。从现有的考古资料来看,大约在一万年前,我国原始农业就开始起步了。在经历了一个漫长的历史发展阶段之后,在七八千年前的原始社会时期,我们的先祖苦心经营的农业有了较大发展。例如处于这一时期的仰韶文化和龙山文化,正经历着从渔猎向农耕生产方式的转变中。在新石器时代,石器开始被较为广泛地应用,粮食的种植与加工由此更加便利和有效,在那个时候,黍粟和水稻是主要的农作物,而猪、狗、鸡等禽畜的饲养也已经逐渐开始了。黄河中下游地区,成为当时最宜居住的农业开垦区。

圩田(选自《梦溪笔谈》)

随着原始社会的发展,尤其是生产力水平的不断提高(如青铜器工具的应用),农业生产稳步发展,粮食作物的种类和产量不断增加,新的生产工具不断出现,剩余粮食的出现使得农业加工、储藏和养殖技术也不断发展起来。特别是到了夏、商、周时期,我国古代农业有了长足进步,农田水利灌溉技术也得到重大发展,农民对粮食作物的属性和规律的认识空前提高,人们对农耕的相关知识逐步系统化,对农作物与天气气候、节气时令的关系有了一定的认识,与农业相关的历法开始出现。在这种情况下,农作物产量大幅度提高,在粮食自足之后,人们又开始注意种植棉麻等一些经济作物,酿酒业也开始发展起来。

到了春秋时期,铁器农具的使用和牛耕技术的出现,把我国古代农业发展提高到了一个新的水平。人们对农业生产重要性的认识已经相当深刻,管仲的见解"仓廪实则知礼节,衣食足则知荣辱"深为人们所肯定,春秋各国积极鼓励农耕。在战国时期,牛耕技术得到进一步扩展,铁器开始普遍应用于生产,我国农业得到了前所未有的进步。而且,随着农业的发展,各诸侯国都意识到了兴修水利对农业发展的重要性,与农业生产息息相关的是农田水利建设,许多重要的水利工程在这种情形下修建起来。其中,最著名的是秦国的郑国渠,它将泾水与洛水流域联系起来,这一水利工程长达三百多里,使得本来干旱的关中平原一举成为一片沃野。其他有名的水利工程还包括李冰父子修建的都江堰工程,以及邗沟水利工程(它将长江流域和淮海流域沟通起来)。农业生产对国家发展的重要性在这一时期凸现出来,例如商鞅变法中的一个核心内容也是在强调农耕的重要性。与此同时,农业生产的基本单位转向了以家庭为主的个体生产经营方式,所谓"男耕女织"的农业经济模式开始发展起来。我国古代农业在这一时期得到飞速发展,奠定了我国传统农业基本结构和发展模式的基础。

二

在秦朝统一六国之后,我国古代农业发展达到了一定的成熟阶段,铁器农具制作方法和耕作方法更加完善,中央政府的相关政策和法规也日益完善。但由于秦王朝的短暂,农业发展主要集中在秦朝以后。准确地说,汉代直至南北朝时期,是古代农业发展的第一个关键时期。

从汉代开始,各种农业生产工具和技术发展已经相当成熟,精耕细作成为这一时期我国农业发展的主要特点。精耕细作首先体现在农业生产工具的进步和相关施肥技术的发展方面。农耕工具在这时更加多样化，铧式犁、耪铧、翻车陆续被用于农业生产；水利和畜力在农业生产中也被广泛应用。汉代之初政府就对农业格外重视，鼓励农耕生产，与秦代相比大幅度减轻了农业的沉重赋税；并大力兴修水利（如白渠、六辅渠），治理黄河。此外，人们明确

耕种图(选自《中国：发明与发现的国度》)

意识到施肥对农业生产的重要作用，在《氾胜之书》以及之后的《齐民要术》等著作中，都有关于农业施肥方面的经验总结。汉代农业在这种背景下迅速发展。农田面积在这一时期大幅扩展，新的农作物（如苜蓿）也被陆续引入中原地区，我国农业发展达到了一个辉煌时期。

当然，两汉以来农业生产的中心一直集中在我国的北方地区。当时大多数的居民都生活在以河南、陕西等地为中心的所谓中原地区，南方的江淮及以南地区仍然是地广人稀，甚至被认为是蛮荒之地。众所周知，宋代苏轼的诗句："罗浮山下四时春，卢橘黄梅次第新。日啖荔枝三百颗，不辞长作岭南人。"可见，直至宋代，这种情况仍然存在，岭南还是被许多人认作蛮荒之地。实际上南方农业生产此时也开始悄然起步。其中，种植业一直是我国古代农业发展的中心，谷、豆等农作物为最主要的粮食作物，农业生产的技术也以农耕技

术为主。而畜牧业处于辅助地位,并且是以饲养鸡、鸭等小型家禽为主。由于农业生产的基本单位是家庭,农民为了增加收入,提高农业产量,在土地面积相对固定的情况下,主要依靠耕作技术水平的提高,这在最大限度上推动了农业生产的精耕细作。

从南北朝起,南方的农业随着民族的大融合而发展起来,到隋唐时期,农业生产的中心逐渐转移到了南方,南方农业的精耕细作也发展起来,逐渐有了"苏杭熟,天下足"的说法。隋炀帝时期京杭大运河的挖掘,其中的一个重要目的就是要解决北方粮食短缺的问题。京杭大运河以河南洛阳为中心,北起涿郡(北京),南到余杭(杭州),连接起黄河流域、长江流域与淮河流域,全长 1747 千米。在唐代,农业生产技术进一步发展,例如曲辕犁得到了广泛推广,大大提高了劳动效率。当时政治相对清明,政府注意减轻农民负担,针对农业生产采取了很多有利措施,并专门在中央和地方设立了相应的官职管理农业生产,第一部官修农书也是在这一时期修订的。就此,我国古代农业发展进入了又一个高峰时期。

五代以后,我国的农田数量已经无法再扩大,因此,精耕细作、积极利用有限的土地成为以后农业发展的重点。宋代政府极为重视水利建设对农业发展的作用,在全国范围内鼓励兴修水利。所以在这一时期,水利工程几乎遍布全国各地,除此之外,政府还大力推广农业生产技术,鼓励百姓积极耕田,有效利用好各种土地。在这种情况下,到了 11 世纪,南、北方人口已经趋于平衡,甚至在南宋以后,南方人口还超过了北方。在土地资源有限的情况下,南宋政府积极推广稻麦两熟和水旱轮作技术,积极引种多种农作物,提高土地的产量,南方农业飞速发展。

沙田(选自《农政全书》)

　　而且,宋代后经济作物的种植也日益受到重视,官府鼓励农民大量种植各种经济作物。正是在这种背景下,在宋(元)时期,我国的纺织业也取得了巨大进步。其中,在这方面贡献最大、最著名的当属元代的黄道婆。据说黄道婆年轻时到了海南岛跟随当地的黎族人学习纺织技术,后来回到家乡,她便将这些纺织技术加以细心研究,并教给了家乡人,黄道婆对棉纺织技术的改进和推广作出了巨大贡献;到了明代,黄道婆的家乡——松江的乌泥泾已经成了有名的纺织中心。在明代,玉米、番薯等多种农产品被引入,且棉花等经济作物的种植面积不断扩大。元代一贯比较推广畜牧业,但统治者很快意识到以种植业为主的农业的重要性。特别是在元世祖时期,农业受到了重视,并刊印了《农桑辑要》等农书来推动农业的发展。

　　在明清时期,随着农业生产技术的进一步发展,耕地的利用率越来越高,而此时的人口也日益急剧膨胀,农业压力极大。我国在这一时期农业生产的特点是精耕细作的程度进一步深化,农业的发展越来越依赖技术的进步,因此,农民要充分利用好每一亩土地。在这种背景下,农产品的种植和经营开始向多样化发展,新的作物品种不断引进,农业生产结构开始出现新的变化。

　　此外,我们还应该注意到,与我国古代农业生产方式相适应的一直是以血缘关系为基础而形成的封建宗法制。这是古代农业生产的基本单位,农业的个体经营模式还进一步构成了古代最基本的社会单位——家庭。而这个"家"又和作为整体的"国"在关系上是同构性的,并且逐步演变为建立在自给自足的小农经济基础之上的"家天下"的社会模式。这种社会结构特征反过来又进一步强化了农业的基础地位,这也是我国古代"重农"思想的社会根源所在。为此,德国哲学家黑格尔曾经专门在《历史哲学》中总结了这种传统的家国关系:整个国家的关系结构是和家族的关系结构相一致的,国家的皇帝如同家族的族长或家庭的父亲,拥有最高权力,控制着整个的帝国,而其臣民必须像对待长辈一样敬畏皇帝;而皇帝反过来也要像慈父一样关照臣民。农业生产以及由此确定下来的社会农耕模式,逐渐形成了一种根深蒂固的文化价值理念,它渗透于我国古代社会政治、经济、文化的各个层面。

农学著作与典籍

中国古代的农业成就,还体现在一系列的农学著作方面。我国古代农学著作种类繁多,传世的数量也极大,仅仅在宋代的农书名录中,就有一百多种。其中,在农业历史上,我国最著名的农学著作主要包括:《氾胜之书》《齐民要术》《陈旉农书》《王祯农书》《农政全书》,它们一般被人们统称为古代五大农书。而元代编修的《农桑辑要》则是目前最早的一部官修农学著作。

其中,《氾胜之书》是古代最早的农学著作,它大约成书于西汉时期,据传是西汉末年的农学家氾胜所著。当然,我们现在所能看到的内容,只是原书的一部分,而原文早已随着历史散失,但我们从这些有限的篇章中,还是可以看到《氾胜之书》的重要价值和意义。《齐民要术》则是我国目前保存最早、最完整的农学著作,为南北朝时期农学家贾思勰所著;此外,《陈旉农书》是宋代陈旉所著的关于水稻种植和栽培的重要农书;

《农桑辑要》

《王祯农书》是元代王祯所著的伟大农学著作;《农政全书》是明代徐光启编著的有关农学的一部巨著。这几部农学著作是中国古代农学著作中的典范,但鉴于篇幅的有限和内容的繁杂,我们将在下面主要介绍其中的两部——《齐民要术》和《农政全书》,以便在初步了解我国古代农业发展基本情况后,再来看一下农学方面的经典著作,进而在理论层面加深对中国古代农学的理解。

一

《齐民要术》是我国目前保存下来最早的,也是最完整的一部古代重要农学著作。作者是贾思勰。但关于作者贾思勰的生平,我们目前知道的非常少,唯一比较确定的是他主要生活在魏晋南北朝的北魏时期,据记载是齐郡益都(今山东寿光南)人,曾任高阳郡(今河北境内)的太守。《齐民要术》这部著作以当时中国北方地区的农业生产为主要记述对象,贾思勰在综合前代农业生产经验的基础上,完成了这部伟大的著作。在贾思勰时代,社会动荡逐渐平息下来,而随着当时社会生活趋于安定,农业生产日益受到重视。贾思勰亦深受传统儒家"重农"思想的影响,他在《齐民要术》的序言中,特别强调了农业生产对社会和普通民众的重要性。贾思勰指出:"起自耕农,终于醯醢,资生之业,靡不毕书,号曰《齐民要术》。"用贾思勰自己的话说就是"食为政首",即"民以食为天"。所以,教育和传授农业生产知识也就成了士大夫阶层的重要任务。应当说,《齐民要术》有明显的劝农之意。"齐民"就是指普通百姓的意思,"齐,无贵贱,故谓之'齐民'者,若今言平民也"。"要术"即人民生存和生活的基本手段,这也是《齐民要术》的本意所在。

《齐民要术》全书共有十卷,分为九十二篇,详尽总结了农耕、种植、栽培、畜牧、酿造等诸多方面的农学科学技术知识。

从农学思想的角度而言,《齐民要术》的一个基本思想是讲究农业生产要因地制宜,不能墨守成规,盲目遵从传统经验。由于这本书是以中国北方地区的农业生产为主要研究对象的,因此贾思勰特别强调黄河流域地区的土壤特性、施肥、水利、耕作等与天气气候,尤其是降水情况和作物种植种类之间的关系问题。在贾思勰看来,农业种植既要遵守一般的农耕种植规律,又要与当地的农业实际情况结合起来,肯定具体农业生产中存在特殊性与一般性的结合。为此,贾思勰还专门把农业生产与历法时令和节气联系起来考虑,农作物的种植、收割等农活都应该遵循农时的节令:"顺天时,量地利,则用力少而成功多。"但他没有刻板地遵从传统的天人感应、五行学说等思想。他说,农业生产和农时的安排"不可委屈从之",要因时、因地制宜,否则即使付出再多的劳动也难以有好的收成。此外,在农作物的选种、播种、管理、收割等各个环节,农民同样要做到农作物的属性与当地环境、气候等要素的协调,要灵活运用农业技术知识于生产之中。

《齐民要术》卷首

为了提高土地的利用率,贾思勰特别倡导农作物的"轮作"种植方法。按照传统的农业种植和生产经验,为了恢复土地的肥力,农民只能对土地进行休耕或轮耕,但对有限的土地资源来说,未能充分对其加以利用是非常可惜的。贾思勰在不断总结前人耕种经验的基础上,提倡对土地进行轮换性种植,这样可以最大限度地利用好每一亩耕地。在这种观念的指引下,贾思勰还专门总结了农作物种植的顺序以及作物种植的组合问题,这是贾思勰对农业生产的一个突出贡献。例如,贾思勰指出,在种植完豆类之后,可以接着在这片土地上种植谷类,这种轮换种植能兼顾保持土地肥力和提高土地产值两方面。同时,贾思勰还极为强调农业施肥的重要性,尤其重视绿肥对改良土壤的重要作用。当然,贾思勰不仅仅关注农作物的种植问题,他还特别强调农产品收割之后的储存和加工等问题,他认为对于作物储存,时间、地点以及步骤等环节非常重要。

　　贾思勰不只关注农作物的生产和种植问题,他还进一步系统总结了水果、蔬菜等的栽培种植问题。在《齐民要术》中,贾思勰用了大量篇幅介绍了二十多种蔬菜和十余种水果的种植和管理经验。其中,比较重要的内容包括果木的嫁接、压条、移栽等实用内容,时至今日,这些内容仍具有重要的参考价值。此外,贾思勰还很重视农业生产和理论方法的研究,在农业研究方法问题上,贾思勰尤其强调经验研究的重要性。在《齐民要术》中,他专门总结了农学著作的编纂方法,"今采捃经传,爰及歌谣,询之老成,验之行事;直自耕农,终于醯醢"。即农业研究要通过亲身践行,只有亲自在田地里劳作才能真正对农业生产有所理解,而且,在劳作之外还要注意收集各种文献材料,将践行和研究这两方面相结合。在经验的积累方面,要不耻下问,多作调查研究,贾思勰不仅是这样总结的,也是如此践行的,这是《齐民要术》历经千年仍不失为经典的重要原因。

最后，贾思勰在《齐民要术》中还详细总结了畜牧业方面的相关知识。我们知道，南北朝时期是中国民族大融合的时期，当时北方少数民族的农业、畜牧业技术不断传入中原地区，在这种背景下，中原地区的畜牧业有了重大发展。贾思勰不但重视农耕生产技术，而且对畜牧业等也非常重视，此外他还非常注意收集相关资料并加以整理。在吸取各民族畜牧业经验的基础上，贾思勰系统记述了牛、羊、马、猪、鸡等家畜家禽的选种、饲养、治病等方面的知识。例如，贾思勰关于牛马喂养中的饮食问题写道："饮食之节：食有'三刍'，饮有'三时'，何谓也？一曰恶刍，二曰中刍，三曰善刍。何谓三时？一曰朝饮，少之；二曰昼饮，则胸餍水；三曰暮，极饮之。"《齐民要术》中的这些记述成为日后我国畜牧业方面不可多得的宝贵财富。

总之，《齐民要术》对中国后世农业以及手工业等方面都产生了巨大影响。它成为中国古代最重要的农学著作之一。特别是在关于北方农业生产知识方面，贾思勰的总结最具代表性，《齐民要术》一直是这方面的权威著作。不仅如此，《齐民要术》的影响还远远超出农业领域，它在经济学、管理学甚至烹调学等领域都很有影响，对促进世界范围尤其是东亚地区的农业发展，作出了突出贡献。

二

《农政全书》是我国古代农业生产和"农政"思想的一部杰出著作，它由明代的著名科学家徐光启编撰，最后由陈子龙等人整理编定，在1639年刊行，定名为《农政全书》。全书共分为12门，这12门包括：农本（3卷）、田制（2卷）、农事（6卷）、水利（9卷）、农器（4卷）、树艺（6卷）、蚕桑（4卷）、蚕桑广类（2 卷）、种植（4 卷）、牧养（1 卷）、制造（1 卷）以及荒政（18 卷）；总共 60 卷，70 多万字。相对于传统农书，《农政全书》的一个显著特色是不仅记述了当时农业生产方面的技术成就，而且特别强调了农政措施，即农业政策、救灾措施方面的内容。

徐光启是我国明代最杰出的科学家，也是明末重要的政治家之一。徐光启 1562 年出生在松江府的上海县，他在 1604 年中进士。徐光启从翰林院负责编修职责的庶吉士开始，一直到最后官至礼部尚书、文渊阁大学士。1633 年徐光启在北京去世，其墓在现在的上海市徐家汇地区。徐光启从中进士开始仕途生涯以来，历经四代皇帝，但他在漫长的官员生涯中，一直没有脱离农业生产，他重视兴修水利，并把大量时间和精力用于科学研究。事实上，徐光启的农书著作很多，比如《甘薯疏》和《农遗杂疏》等，而《农政全书》则是徐光启的代表性著作，《农政全书》更是中国古代农书中的典范。

从现代的角度来看，徐光启的最大贡献还是在科学领域，他在农学、天文历法、数学等领域都取得了重要成就。其中，著名的《几何原本》前六卷就是他和传教士利玛窦合作翻译的，而《崇祯历书》则是徐光启编著的天文历法著作。但对后世影响最大的，还是他的农学思想。

徐光启一直很关注农业生产和农作物的种植等问题，无论是在他入仕之前还是入仕之后，他都坚持身体力行，亲自参加农业生产和农业实验。例如，他在 1613 年受到朝廷官员的排挤而被迫离开北京，当时暂居于天津的徐光启并没有因此消极避世，而是利用天津荒地很多的条件积极推行垦荒和农业改革。据《徐光启集》中记载，当时"天津荒田无数"，"至贵者不过六七分（银）一亩，贱者不过二三厘钱，粮（赋税）又轻"。徐光启利用这些有利的条件，在天津积极屯田并进行农业实验,有关学者曾经估算过,徐光启在天津南郊开荒的农田大约有两千亩之多,这些土地都是由当时的盐碱荒地开垦而来的。

此外,徐光启还积极引种新的农作物品种,甘薯和水稻就是在这一阶段由徐光启引入北方地区种植的。特别是将水稻引入天津,更成为一段佳话,为北方的农业生产作出了重要贡献。按照当时传统的风土说观念,北方无法种植水稻,但徐光启经过长期的调查研究认为,只要对水稻的种植管理得当,照样可以在北方种植水稻。为此徐光启还专门从南方请来了水稻种植能手,一起研究水稻的种植问题。他们通过改变水稻的施肥、灌溉等方法,经过三年的努力,终于取得成功,移栽过来的水稻在天津地区大获丰收。正是因为徐光启的努力,水稻种植才开始在天津乃至整个北方地区扎根。实际上,《农政全书》中的很多内容正源于这段时间的开荒、水利和种植方面的经验积累。不仅如此,徐光启还特别注意对传统农学思想及其史料的研究,如《齐民要术》等农学著作都是他重要的参考文献。

《农政全书》中的核心观念是农本思想,即"富国必以本业"。徐光启受传统儒家思想的影响,十分强调农业生产在整个社会中的基础地位,农业为立国之本,强国必先"务农贵粟"。只有在保证农业生产的前提下,社会财富才能真正增加,最终实现国富民强。如果只简单追求金银这些货币财富的增加,那只是舍本逐末,"重粟帛"才是"生财有大道,生之者众也"。为此,徐光启指出,单纯的金钱并不真正意味着财富,特别是对于国家和社会而言,米粟才是根本,为此国家确立以农为本的政策至关重要。

要确保农业的基础地位,徐光启认为兴修水利是一项根本的农政举措。"水利者,农之本也。"农作物收成的好坏,直接和农田水利建设密切相关,政府的重要职能之一就是要做好水利工程的建设,配合农民的农业耕作。为了更好地指导水利建设,徐光启在《农政全书》中系统总结了"用水五法",对以后的农田水利建设产生了重要影响。第一,要想保证水利工程的有效利用,必须考虑水源问题。人们要根据水源的高低、水流急缓等情况合理设计水利资源的利用,例如,当水源高于农田时,可以直接开渠灌溉农田;而当水源低于农田时,可以利用水车等工具来实现灌溉。第二,水利灌溉还需要考虑水流的具体状况,例如水流湍急的程度、距离田地的远近等因素,这些都是水利建设的重要参考内容。第三,要利用好湖泽积水。第四,要利用好"水委",即海水、沙洲或岛屿中的水流。第五,徐光启专门强调了对人工水库的建设利用问题。总的来看,徐光启的水利思想在理论和实践上都是相当成熟和有价值的,对于我国农业的发展特别是水利建设有重要的意义。

注重"荒政"思想,这是《农政全书》的一个重要特点。一般的农业著作,往往集中考虑农业生产问题,而徐光启在《农政全书》一书中用了大量篇幅系统论述了农业生产中治理灾荒的思想,这是这部农书的一个特色。在徐光启看来,在变幻无常的大自然面前,人类随时都有面临各种自然灾害的可能性,所以,政府的一个重要任务是预防"荒政"。这是农业发展和建设的重要部分,这需要

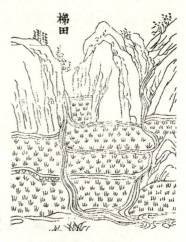

《农政全书》中的梯田

做到：“预弥为上，有备为中，赈济为下。”其中，“预弥者，浚河筑堤，宽民力，祛民害也；有备者，尚蓄积，禁奢侈，设常平，通商贾也”，也就是说，政府平时首先要做好备荒准备，有备无患，这是“荒政”的最佳对策；其次才是遇到灾荒时的“赈济”问题，“给米煮糜，计户而救之”。可见，在徐光启这里，治荒并非一时的、简单的在遇到荒年时的补救政策，“荒政”是一个长期系统的工程。

《农政全书》在其他许多农业相关方面也有重要贡献。比如在“树艺”“牧养”“农具”等内容上，徐光启都提出了许多有价值的内容，这些大量闪光的农学思想，限于篇幅，就不再一一介绍了。《农政全书》自付印以来，受到了人们的普遍关注，无论是在理论方面还是在实用价值方面，都已成为我国古代农学的一部典范之作。

农业生产的特征及其对古代科技的影响

　　从总体上看，在我国农业发展过程中，促进农业发展的核心因素一直是农耕技术。这在农业实践和农业著作中体现得比较明显，而精耕细作处于实现农耕技术发展的中心地位，小型农耕技术则是技术变革的关键。与此相应，古代农业生产劳动的基本单位一直是以家庭个体生产为主的，以家庭为基本单位的农业生产方式构成了我国传统的小农经济的基础。此外，小农经济也是手工业发展的重要基础，男耕女织的家庭劳动形式促使农耕与手工业的统一，家庭农业种植与家庭手工业相结合构成了我国传统自然经济的主要内容，这就是人们通常所说的"男耕女织"的传统社会生产结构与农业经济的有机结合。关于家庭手工业方面的具体内容，我们将在"中国古代的工艺与技术"部分介绍，这里不再详述。

　　小农经济的基本经济形态构成了我国传统社会发展的基础。在某种意义上可以说，农业文明是我国传统文明的基石，中国古代科学技术文明的发展与进步，正是在农业文明的基础上发展起来的。正因如此，建立在农耕经济基础上的科学技术，兼具农业经济的开拓性与守成性的双重特点。

　　农业生产的优先性特征决定了我国古代科技的创新与保守并存。一方面，当科技的发展与创新有利于农业的发展时，农业为科技创新提供了基本动力；也就是说，在以农业为本的传统社会，整体社会财富的增加依托农业生产，要获得更多的经济利益和财富，就必须大力提高农业的生产效率，勇于在生产技术方面更新换代、推陈出新。

　　另一方面,当农业的发展达到一定程度后,立足于小农经济形态的农业经济又要制约技术创新的不断推进,以满足于家庭自然经济为界限。这是因为,这种相对单一的生产方式,同时具有分散性和相对封闭的缺点,在农业精耕细作发展到一定程度之后,这种生产模式会反过来制约农业生产的进一步发展。特别是传统社会对"农本"地位的过分重视,同时也就意味着对其他经济生产形式的排斥;小农经济的自我满足性,又在一定程度上影响了人们科技创新的积极性。农业之外的其他社会行业,同样也笼罩在家庭农业经济的这种运行模式之中。

耕田(选自《天工开物》)

　　例如工匠行业这种专业性的技术技能,相对于普通的农业技术也是立足于农业经济的基础之上的。工匠在中国的技术发展过程中起着中流砥柱的作用。但是,工匠传统同小农经济下的农民一样,在推进技术进步的同时,拘泥于一种保守性的状态。因为工匠传统往往将技术变成一种秘方或秘诀的形式,要通过严格的父子相传、师徒传承,以秘而不宣的形式获得延续性和随之而来的经济利益。在这种状况下,技术创新难以真正广泛施行,因为人们的注意力不在于科技理论的研究,而在于保守机密。这也是个体小农生产形式的局限性,它不仅使得集体或团体的集体智慧无法得到发挥,而且还造成了技术发明的断代和失传。

在传统思维方式上,有机论和整体论的所谓区分,特别是有机论自然观的确立,应该说是与古代农业生产模式密切相关的。众所周知,我国古代认识和思维在整体上倾向于认为周围的自然界是一个完整的有机整体,万物都相互贯通,融于一体,万物内在相通。所以,认识世界要从这个相互有关联的有机论视角去领悟。这与农业认识和生产模式有共同之处。而且,在有机论自然观的影响下,形象思维和拟人化思维在传统科学认识中起着重要作用,人们通过取象比类、比喻等方法去认识世界,只要最终的认识结果是有用的,那么精确化就不是必需的了。

农业经济的关键在于土地问题,古代统治者很早就意识到:"理民之道,土著为本。"而土地的固着性决定了农业生产的相对稳定性和农民迁移的困难,这最终导致农业生产的持续性。进一步说,农业生产的持续稳定性影响甚至决定了中国整个传统文化发展的连续性,相对稳定的农耕生产方式历经数千年不绝,中华文化也在屡经变故之后能够顽强延续,并带动着整个中华文明向前发展。

原典选读

关于"谷物"的说明(引自《天工开物》,有变动)

凡谷无定名,百谷指成数言。五谷则麻、菽、麦、稷、黍,独遗稻者,以著书圣贤,起自西北也。今天下育民人者,稻居什七,而来、牟、黍、稷居什三。麻、菽二者,功用已全入蔬饵膏馔之中,而犹系之谷者,从其朔也。

关于"种树"的系统总结(引自《齐民要术》)

凡栽一切树木,欲记其阴阳,不令转易。

大树髡之,小则不髡。

先为深坑,内树讫,以水沃之,著土令如薄泥;东西南北摇之良久,然后下土坚筑。时时溉灌,常令润泽。埋之欲深,勿令挠动。

凡栽树讫,皆不用手捉,及六畜抵突。

凡栽树,正月为上时,二月为中时,三月为下时。然枣鸡口,槐兔目,桑虾蟆眼,榆负瘤散,自馀杂木,鼠耳虻翅,各其时。

树,大率种数既多,不可一一备举。凡不见者,栽莳之法,皆求之此条。

《淮南子》曰:"夫移树者,失其阴阳之性,则莫不枯槁。"

《文子》曰:"冬冰可折,夏木可结,时难得而易失。木方盛,终日采之而复生;秋风下霜,一夕而零。"

崔寔曰:"正月,自朔暨晦,可移诸树:竹漆桐梓,松柏杂木。唯有果实者,及望而止;过十五日,则果少实。"

《食经》曰:"种名果法:三月上旬,斫取好直枝,如大母指,长五尺,内著芋魁中种之。无芋,大芜菁根亦可用。胜种核,核三四年乃如此大耳。可得行种。"

凡五果，花盛时遭霜，则无子。常预于园中，往往贮恶草生粪。天雨新晴，北风寒切，是夜必霜，此时放火作煜，少得烟气，则免于霜矣。

崔寔曰："正月尽，二月可劙树枝。二月尽，三月可掩树枝。"

论农业（引自《农桑辑要》）

《书·洪范》："八政"：一曰食。二曰货。

《无逸》：周公曰："呜呼，君子所其无逸！先知稼穑之艰难，乃逸，则知小人之依。"

《礼记·王制》："国无九年之蓄，曰'不足'；无六年之蓄，曰'急'；无三年之蓄，曰'国非其国'也。三年耕，必有一年之食；九年耕，必有三年之食。以三十年之通，虽有凶、旱、水溢，民无菜色。"

《孝经·庶人章》："用天之道，谨身节用，以养父母，此庶人之孝也。"

《史记》："太史公曰：'居之一岁，种之以谷；十岁，树之以木；百岁，来之以德。德者，人物之谓也。今有无秩禄之奉，爵邑之人，而乐与之比者，命曰'素封'。故曰：陆地牧马二百蹄，牛蹄角千，千足羊；泽中千足彘，水居千石鱼陂，山居千章之材；安邑千树枣，燕、秦千树栗，蜀、汉、江陵千树橘，淮北、常山已南、河、济之间千树萩，陈、夏千亩漆，齐、鲁千亩桑、麻，渭川千亩竹；及名国万家之城，带郭千亩亩钟之田；若千亩卮、茜，千畦姜、韭；此其人，皆与千户侯等。然是富给之资也；不窥市井、不行异邑，坐而待收；身有处士之义，而取给焉；岂非所谓'素封'者耶？"

《汉·食货志》："周制，种谷必杂五种，以备灾害。还庐树桑；菜茹有畦，瓜、瓠、果、蓏，殖于疆场；鸡、豚、狗、彘，毋失其时；女修蚕织，则五十可衣帛，七十可以食肉。入者必持薪樵，轻重相分，斑白不提挈。冬，民既入，妇人同巷相从，夜绩女工，一月得四十五日。必相从者，所以省费燎火，同巧拙，而合习俗也。"

《管子》："民无所游食，则必农。民事农，则田垦；田垦，则粟多；粟多，则国富。"

《齐民要术》："《传》曰：'人生在勤，勤则不匮。'古语曰：'力能胜贫，谨能胜祸。'盖言勤力可以不贫，谨身可以避祸。……'庸人之性，率之则自力，纵之则惰窳耳。'……'稼穑不修，桑果不茂，畜产不肥，鞭之可也；杝落不完，垣墙不牢，扫除不净，笞之可也。'此督梁之方也。且天子亲耕，皇后亲蚕，况夫田父，而怀惰窳乎？"

中国古代数学

　　数学是中国古代文化中的一颗璀璨明珠,中国是东方数学乃至世界数学文明的重要发源地之一。在漫长的历史长河中,中国古代的数学家们有着数不胜数的重要数学发现,提出了很多影响深远的数学理论。但是,长期以来世人一直对我国古代数学存在诸多的误解,即使是国际上一些重要的数学家或数学教育家,也时有这种偏见。例如,美国著名数学史家莫里斯·克莱因在其名著《古今数学思想》中,就直接将中国古代数学思想完全忽略掉了。在李约瑟等人的研究影响下,国际数学界才再次认识到中国古代数学思想的辉煌和伟大。但这种争议依然存在,以至于许多西方学者对中国数学的理解和看法仍然经常徘徊在两种极端的观点之间,即一种观点是带有夸张的赞美,另一种观点则是过分的诋毁。我们将在本部分简要介绍我国数学发展的基本情况,以便让人们对中国古代数学有一个比较公允的了解。

中国数学的早期发展

数学在中国的发展有悠久的历史,自从先民们生活在这片土地上开始,数学思想就逐渐生根、发芽和壮大起来。而且,数学在我国传统文化中占有不可或缺的位置,它对传统文化的其他方面影响深远。我们将在本部分回顾一下中国古代数学思想的产生和初步发展的情况。

一

最早的数学源自人类生活和实践的需要,这在早期人类文明发展过程中体现得最为明显。古老的数学观念和思想一般都直接与当时人们的生产和生活经验密切相关,著名数学史家莫里斯·克莱因曾指出:在世界上大多数的语言当中,三角形中角的边常常是用"股"和"臂"这些字来代表的,例如在英文中，直角三角形的两边就叫做"臂"。其实，在中文中，直角三角形的一条直角边就叫做"股"。克莱因认为在这些原始的文明中，数学的早期发展和应用主要限于简单的交易以及田地面积的粗略计算等方面。此外，陶器上的几何图案和织在布上的花格及记号等，也能显示出人类早期数学的特征。据古希腊历史学家希罗多德的考证，"几何学"一词的原意就是指"丈量土地"，由此我们也可以看到几何学与人们日常生活的紧密联系。

可见，早期数学的起源与人们的生产和生活经验的关系是何等紧密。中国古代数学在这方面表现得极为突出。一般认为，我国古代最早的计数方法是"结绳记事"，即人们通过在绳子上打结的多少来表示和计算数目（如果读者感兴趣的话，不妨看一下"数"的繁体字写法"數"，其左侧就犹如一根打结的绳子，右侧为正在打结的手）。随着文字的出现，数字也随之出现，但明显带有"象形"的特点，这一点无论是古代中国还是古埃及、古巴比伦都不例外。即使是在数学得到了相当的发展之后，数学仍总是与生活经验以及计算等问题相联系，也就是说，实用性和经验性一直是古代中国数学的一大特点。

我国早期数学成就的一个重要方面是计数系统以及位值的发展与完善，这是数学发展的必经阶段。例如，古代出现在甲骨文中的计数系统，

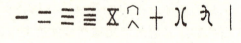

| 一 | 二 | 三 | 四 | 五 | 六 | 七 | 八 | 九 | 十 |

| 百 | 一千 | 一万 | 三万 |

中国古代甲骨文数字与现代数字的对比

已经相当完善，它们是十进位制，而且这些数字是单独出现的（在这些数字中，最大的数是"三万"）。这些情况意味着在

这一时期,数字已经开始抽象化,基本摆脱了实物和经验的局限。这是早期数学发展的关键一步。

随着社会的发展,人们对数字的理解不断加深,计算的范围也在不断扩大,数字的计算方法开始有了重要进步。此时,人们除对数字及其运算有了一定把握外,开始对简单的几何图形产生兴趣。在全国各地的考古发现中,已经出土的原始社会时期的大量文物中都多次出现了圆形图案以及各种三角形、正方形等几何图形。这说明在那一时期,人们对几何图形的认识已经相当深刻,在此情况下,几何学有了很大发展。可以说,随着中国社会的不断发展和进步,古代数学也逐步走向成熟。

在早期数学的发展中,计算一直是我国数学研究的中心问题之一。而在数字的计算中,当数目越来越大,并超出日常的经验范围时,人们的计算就出现了问题——怎样计算一些数值巨大,而又无法直观把握的数字呢?这一直是困扰古代数学的基本难题。古希腊的著名数学家阿基米德为了解决复杂的计数方法问题,甚至还专门完成了一本叫做《沙粒的计算》的书。我国古代数学家们为了解决这些问题,专门设计出了一套特殊的计数方法——算筹法。这既是一种计算方法,也发展成为一种计算工具。其实,计算工具的发展在中国古代数学发展史上占有重要的位置。在数学发展之初,"算筹"就成为我国古代数学计算的一个非常有特色的方法。

据李约瑟考证,中国古代早期的计算工具包括"算板"以及三种"算筹"。《中华科学文明史》记录的三种算筹分别是:简单的算筹;标有数字的算筹,它类似于近代欧洲纳皮尔创造的骨筹;珠算盘。据现有资料推算,"算筹"大约在春秋战国时期之前就已经出现了,当时人们用一系列粗细均匀的小棍来进行数目的计算。其主要思路是通过对这些小棍的不同摆放，来表示数字和位值的不同，例如，用小棍的纵横可以分别表示个位、十位乃至千位、万位，然后再按照十进位制进行计算，使复杂的计算简单化。而带有数字的算筹出现较晚，李约瑟进而指出，这些带有数字的算筹的实际运算，也和纳皮尔的骨算筹类似，只是时间更早。

由于传统算筹方法计算仍相对复杂，不但要用到大量算筹，而且对数字位值的表示也相对复杂，这导致较多位数的计算要占用大批算筹以及铺放算筹的地方，计算费时费力。随着历史的发展，一种新的计算工具又出现了，这就是"珠算"。"珠算"最早在汉代《数术记遗》中出现，但具体在何时发明出来的，已经很难确切考证（如我国已在多处出土过早期的算珠）。当然，自古以来的珠算盘和现在我们看到的不完全一样，但珠算的原理基本相同，而且相对简单，计算也更加方便，所以，珠算很快取代了复杂的算筹成为古代最主要的计算工具（后面我们还会提到相关的内容）。

二

在中国古代早期的数学发展过程中，有两部重要的数学著作最值得人们去关注和研究。这就是最早的数学著作《周髀算经》以及颇具《几何原本》特色的《墨经》。

其中，《周髀算经》是我国最古老的、经典的数学和天文学著作。一般认为，《周髀算经》大约成书于西汉或更早时期，后世将其列为"算经十书"之一。我国是世界上最早发现"勾股定理"的国家之一，这个定理在我国也被称为"商高定理"。在《周髀算经》中已经记载了这一发现，周代商高在与周公的对话中对这一问题作了这样的描述，"勾广三，股修四，径隅五"。而且，在《周髀算经》中用了大量篇幅说明如何把这一发现应用到具体的测量和天文学计算之中:"若求邪至日者,以日下为勾,日高为股,勾股各自乘,并而开方除之,得邪至日。"到了东汉末年,数学家赵爽在注解《周髀算经》时,对于勾股定理给出了较为完整的证明。而在欧洲,一般公认毕达哥拉斯最早对勾股定理作出了证明,故这一定律被称为"毕达哥拉斯定理"。现在我们可以见到的最流行的证明则来自《几何原本》作者欧几里得的证明。在天文学上,《周髀算经》也是我国古代"盖天说"的代表,所谓"天如盖笠,地法覆盆"的提法正是出于《周髀算经》。

墨家的经典著作《墨经》中也蕴含了大量丰富的数学思想,尤其是几何学方面的知识,它是考察我国古代数学(包括物理学等学科)发展的重要参考文献。李约瑟曾这样描述说:中国古代数学也存在一些理论性的几何学。这些理论性的几何学命题主要见于《墨经》一书。只是这些理论命题一直还没有被西方学者们知晓。这些具体成就包括对几何学

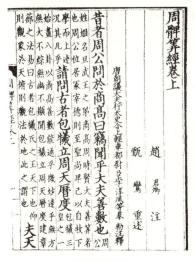

《周髀算经》

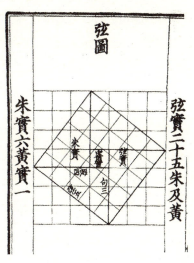

弦图

基本概念的界定和对空间、时间等问题所作的理论研究。例如，对几何学"点"的定义，"体之无厚而最前者也""端，是无间也"。对圆的定义为，"一中同长也"。当然，我们也不能因此就把《墨经》中的数学思想简单等同于欧洲形式化的几何学，"《墨经》的旨趣是概念间关系的哲学阐发，而不是为组建理论体系而进行的概念设计，它不必考虑对概念所下定义是否有利于公理和公设的应用，甚至不必考虑在数学中借用日常的名词而可能发生的歧义。正因为它不受几何学的束缚，它对概念的阐发比较自由"。

　　虽然有上述差别，李约瑟的认识和判断仍是有道理的，即《墨经》中的几何学成就具有了欧几里得几何学的演绎特征，并且能和《几何原本》的命题相对应。以至于他感叹说：在历史上，如果墨家所遵循的这条路线能够继续发展下去的话，也可能已经产生了欧几里得式的几何学体系了。但是正如李约瑟所认为的那样，很可惜《墨经》传统此后并没有对中国古代几何学的主流产生太多的影响。

传统数学的继续发展与成熟

秦汉以后,我国数学开始走向新的发展,以《九章算术》为代表的传统数学框架逐渐建构和成熟起来,这构成了传统数学的基本思路。由此,中国古代数学开始了一场辉煌的历程,即历经两汉、两晋南北朝、隋唐、宋、元、明诸代的持续发展。

一

《九章算术》是我国古代最重要的数学著作之一,它是对我国古代,特别是从春秋到汉代数学成就的一本集大成著作。《九章算术》标志着我国古代数学的发展进入了一个全新阶段,它是中国独特数学体系开始建立的关键时期,之后的数学家们都以之为标准的数学范本,为此《九章算术》名列古代"算经十书"之首。

《九章算术》共有 9 章内容,它把我国古代数学问题分为 39 个种类,其中包含的内容复杂精深,自成一体。这部书中包括具体应用问题 246 个,全书并按照问题性质和解题方法的不同,分为 9 个部分。

其中,第一章为"方田"。主要是关于各种面积的计算问题,此外,还涉及数字、分数的运算等问题,共涉及 38 道问题,用到 21 种求解方法。

第二章为"粟米"。主要是关于粮食交易的比例方法,共涉及 46 道问题,用到 35 种求解方法。

第三章为"衰分"。主要是关于税收的比例和分配问题,共涉及 20 道问题,用到 22 种求解方法。

第四章为"少广"。是关于开平方、开立方的方法等问题,共涉及 24 道问题,用到 16 种求解方法。

第五章为"商功"。是关于几何体体积的计算问题和工作量的分配算法,共涉及 28 道问题,用到 24 种求解方法。

第六章为"均输"。是关于赋税的平均负担的计算法及各种算术难题,共涉及 28 道问题,用到 28 种求解方法。

第七章为"盈不足"。是关于盈亏问题、"双设法"方面的问题,共涉及 20 道问题,用到 17 种求解方法。

第八章为"方程"。是关于浅性方程组的求解问题和正负数,共涉及 18 道问题,用到 19 种求解方法。

第九章为"勾股"。这一章的内容主要是通过运用勾股定理的计算应用问题,共涉及 24 道问题,用到 22 种求解方法。

《九章算术》的整体特征是以"问题"为中心,采用"问答"的形式进行,以解决现实生活中的具体数学应用问题为类别进行梳理的。这种书

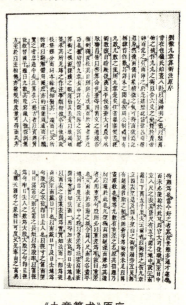

《九章算术》原序

写和分类的范式也成为之后我国数学著作的基本体例和写作模式。具体而言,《九章算术》涉及了我国古代数学知识的几乎所有内容,其中它的主要贡献包括:分数和比例问题的运算、"盈亏问题"的算法、开方的算法、方程的求解、面积和体积的求解、勾股定理以及负数的引入,等等。在这些方面,

《九章算术》几乎都是世界上最早的相关研究,也对后世的数学研究产生了深远影响。

当然,《九章算术》还是缺乏明确的理论推理和论证,所以还有需要进一步完善的地方。不可否认的是,《九章算术》在我国数学史乃至世界数学史上都占有特别重要的位置,它所论述和讨论的很多内容长期处于世界领先水平。简而言之,《九章算术》确定了中国古代数学研究的基本模式与方向,成为以后数学著作的典范。

二

三国时期的大数学家刘徽,在一定程度上弥补了《九章算术》存在的以上一些不足。刘徽在长期的数学研究过程中勇于思考,不盲目崇信权威,敢于创新。刘徽发现《九章算术》在推理和论证方面还存在很多的缺陷,为此他完成了《九章算术注》《海岛算经》《九章重差图》等重要数学著作。在对《九章算术》的注解过程中,刘徽发现传统数学在计算圆形面积时,使用的方法是"半周半径相乘得积步",而圆周率采用的是《周髀算经》中的"周三径一",但这种理解很明显还不够精确。为此,刘徽经过研究后指出,"周三径一"还不是按照严格的数学推理而得到的精确结果,因为在《周髀算经》中,这只是圆的内接正六边形的边长之和跟相应圆的直径间的比例关系而已。可是,圆的周长和这个正六边形的周长并不相等,要想接近于圆的周长,还需要"割圆术"使得多边形无限接近于圆才行。刘徽通过这种方法,进一步得出了极为精确的圆周率数值 3.14,这被称为"徽率"。刘徽在注解《九章算术》的过程中,从逻辑上梳理了我国古代数学的理论基础,使之更加体系化和系统化。此外,刘徽在代数学(如线性方程)、几何学(割圆术)等方面都作出了杰出贡献。限于篇幅,我们不再详细介绍刘徽在数学其他方面的具体贡献。

刘徽之后,中国古代数学继续向前发展。大批数学家和重要的数学著作相继出现,南北朝时期的数学家代表人物有祖冲之父子,他们的著作《缀术》更是举世闻名。其中,祖冲之最著名的贡献莫过于对圆周率的计算,π 值在 3.1415926 与 3.1415927 之间,这在之后的一千多年时间里,一直是世界上最精确的圆周率,一些外国学者建议将这一比值称为"祖率"。祖冲之等人的其他数学贡献还包括对球体积的求解等,但可惜的是《缀术》这部著作已经失传,后人无法了解其中的详细内容。

隋唐时期,数学随着天文学、历法以及工程建筑等领域的发展而进一步发展。王孝通在前人著作的基础上完成了《缉古算经》。在这部著作中,王孝通将土木工程、天文学中的数学问题汇总起来进行研究,其中,最具有代表性的是他对三次方程的研究,这在当时是领先世界的。为此,《缉古算经》成为我国古代重要的数学文献,被列为"算经十书"之一。在这一时期,我国古代数学的发展还体现在天文历法方面,刘焯、僧一行等人既是当时最著名的天文学家,也是最著名的数学家,在他们身上充分体现了天文学与数学的一体性。(关于僧一行等人的数学成就,将在"中国古代的天文学与历法"部分具体介绍)

宋元时期涌现出一大批杰出的数学家。贾宪是北宋时期的著名数学家,在方程求解方面,贾宪提出"增乘开方法"以用于三次以上的高次方程开方,这比欧洲类似方法的出现要早七百多年;而且,他还在方程求解的过程中设计了"开方作法本源图",分别比中东和欧洲的相关研究早了三百年和六百年之久。南宋著名数学家秦九韶(约 1202—约

1261),其著作为《数书九章》,这是 13 世纪我国最重要的一部数学著作,在这一著作中秦九韶发展了"大衍总数术"、高次方程和线性方程求解等问题。其中,"大衍总数术"最具特色,这一方法不仅体现了秦九韶追求数学问题一般解法的精神,而且还体现了算法程序化的一种超前思想。"大衍总数术"实际上是一套求解一次同余式组的完整程序。之后,杨辉在《详解九章算术》等著作中又进一步普及和推广了我国传统数学思想,而"垛积术"则是杨辉最具创造性的数学贡献。

到了元代,中国古代数学仍在进一步发展。李冶、郭守敬、赵友钦、王恂等大数学家,也都在诸多领域推动了古代数学的发展。其中,李冶(1192—1279)在《测圆海镜》等著作中,完善了传统数学中的天元术,并将其应用于几何学研究。而且,李冶在《测圆海镜》中的写作体例与传统中国数学著作有很大不同,他更强调全书内在的逻辑关联,力图以《测圆海镜》第一卷为纲领,将所有内容联系起来,而不是简单地把问题和解题罗列出来了事。这种做法在我国古代数学著作中是不多见的。郭守敬(1231—1316)也是元代著名数学家和天文学家,他的数学贡献主要体现在天文历法以及大型工程建设对数学方法的应用方面。(我们将在下一章专门介绍)而朱世杰则是元代数学成就的集大成者,他的主要著作有《四元玉鉴》《算学启蒙》等。朱世杰利用四元术求解多元高次方程组,并将级数问题研究向前推进,用内插法求解级数之和,《四元玉鉴》标志着我国古代数学发展进入了高峰时期。人们这样评价朱世杰的数学贡献:朱世杰的数学著作及其精彩地叙述的中国算术-代数方法,一直流传至今。他所采用的现在人们熟悉的矩阵方法,以及他的消元法和代入法可与西尔维斯特的方法媲美。

　　总之，宋元时代的数学家们不仅在高次方程求解、天元术等方面作出了杰出的贡献，而且在代数学、几何学诸多领域都取得了辉煌成就，杨辉、秦九韶、李冶、朱世杰更被后世尊为"宋元数学四家"。

传统数学的沉寂与西学的传入

在宋元之后,我国古代数学的发展步伐逐渐缓慢下来,数学创新性成就日渐减少。李俨在《中国算数史》中把这一段历史描述为数学的"沉寂时期"。这个时期也是西方数学的传入时期,我国古代数学的发展开始进入一个新的转折时期。

一

中国数学在 14 世纪后进入了较为平淡的发展瓶颈时期,以至于从明代开始的一个半多世纪里,中国的数学几乎没有取得什么令人瞩目的成就,直到公元 1500 年以后,情况才有所改观。这一直是数学史家和科学史家讨论的热点问题,学者们从中国古代社会结构和数学本身的特征等方面作了大量研究,这里仅仅略微提及。随着社会生产的进一步发展,商品经济逐渐萌芽,与商业密切相关的数学计算日益受到重视。在这种背景下,"珠算"在这一时期有了较大发展,并在社会生活中得到进一步深入的推广。特别是到明代的时候,珠算已经相当普及,在普通百姓的日常生活中应用很广,并且,很多重要数学家都对珠算进行了深入研究,著名的《珠算算法》一书就是这一时期珠算方面的代表性著作。可以说,珠算代表了我国古代数学发展的一个标志性成就,在 2013 年 12 月 4 日,被誉为中国第五大发明的珠算,终于被正式列入联合国教科文组织的人类非物质文化遗产名录。

明代的重要数学家包括陈大位、吴敬、王文素、朱载堉等人。其中,吴敬是明初浙江地区的著名数学家,他的代表作是1450年完成的《九章算法比类大全》。在明初,出于战争等原因,数学已经非常落后,当时甚至连《九章算术》这样的数学经典著作都几乎失传。吴敬在这一时期发展了传统实用数学,特别是和商业相关的算学问题,这对明代整体数学的发展产生了很大影响,《九章算法比类大全》对结束明代初期数学的低潮意义很大。而另一位数学家陈大位的《算法统宗》在数学史上影响也很大,这是一部同样以应用为主的算数著作。陈大位系统总结了历史上的珠算演算方法,其著作在中国各阶层中都产生了影响,特别是推广了珠算的运用范围。王文素的《算学宝鉴》、朱载堉的《乐律全书》分别提出了许多重要的数学思想,如朱载堉提出的"十二平均律"、王文素的方程求解方法都在当时处于世界领先地位。但不可否认的是,明代以来的古代数学在总体上确实处于衰落阶段,重大的数学发现和数学成就较之于前代少之又少,而与此同时,欧洲数学正处于上升发展时期。

这一时期也正是欧洲数学开始传入我国的早期阶段。16世纪以来,西方传教士在中国传教时,陆续将一些先进的数学知识带到中国内地,试图以此博得世人的关注和支持,这在客观上极大促进了西学的传入。相对于古代中国算学与代数学的发达,注重形式的西方几何学的传入,在很大程度上优化了传统数学研究。特别是三角学的传入对于适应天文学发展的迫切要求,至关重要。在西方数学的传入过程中,《几何原本》的翻译是一件标志性的事件,明代的徐光启与意大利传教士利玛窦共同翻译了欧几里得的《几何原本》前六卷,并于1607年刊行。从此,徐光启翻译的"几何"一词开始在我国传播。当时,徐光启对这部著作出版后的影响充满期待和乐观:"为用甚广","必人人习之";但实际效果却很一般。虽然一些数学家对《几何原本》有所研究，可是并没有多大突破，至清代的梅文鼎之后，这种情况才开始有所好转。但《几何原本》的后续翻译工作直到清末李善兰和英国人伟烈亚利合作才最终完成后九卷，这与徐光启等人的工作已经间隔了两百多年之久。1865年，完整的《几何原本》终于正式与国人见面了。

总的来看，以欧洲几何学为代表的西方数学在中国的传播，更多是集中在实用的天文、历法方面。传教士希望通过制定更精确的历法，从而得到朝廷的支持，所以从明末到清代，数学在我国的传播一直以几何天文学的模式为主。而且，清朝的钦天监一直主要由西方传教士负责。同时，笔算方法也在这一时期逐渐传入国内，利玛窦和李之藻完成的《同文算指前编》等著作，引起了很大反响。同期，三角形、对数等数学成果也传入中国，并产生了一定的社会影响。

三角测量法
（选自《中国科学技术史》）

清代重要的数学家有梅文鼎、明安图、李锐、李善兰等人。其中，梅文鼎的影响最大，也最为重要，他被称为清代的"历算第一家"。梅文鼎在数学、天文学和历法学等方面都有很深的造诣，并且他对国外先进数学知识都有所借鉴，主张取长补短，这对中国数学的发展有很重要的意义。其中，梅文鼎的《笔算》在我国数学史上占有特殊地位，因为在珠算计算占统治地位的中国，梅文鼎的笔算计算方法大大推动了我国算数学的发展。在几何学方面,梅文鼎最突出的贡献是把投影原理用于球面三角研究,他丰富和发展了我国的三角学,其代表性著作包括《弧三角举要》以及《平三角举要》等。此外,明安图的《割圆密率捷法》、李锐的《开方说》等都在各自研究领域取得了杰出成就。这是清代我国数学发展的基本情况。之后,随着鸦片战争的到来,我国古代数学的独立发展被阻滞了,古代数学逐渐进入了近现代发展时期。

二

中国古代数学是我国传统文化的重要组成部分,它在长期的历史发展中积淀了具有鲜明的民族特色的数学传统,这也是理解我国古代文化的一把钥匙。为此,在这部分,我们把数学放在我国传统文化的整体背景下作一分析和总结,并尽量从中国文化精神的全貌出发去理解我国数学文化的精髓。

从我国传统文化整体上看,数学仍属于"术"的范畴,这与古希腊的数学作为独立学科的情况有很大不同。从数学发展之始,我国数学就具有经验性和神秘性的双重特点,在古人看来,数学不仅是计算之学(算学),同时也是"立周天历度"的法则。比如,对数的产生,我国古代以来一直就有这样的观念:数何肇,其肇自图书乎?伏羲得之以画卦,大禹得之以序畴,列圣得之以开物也。而且,数学总是与"数术"或"方术"等数理问题有着千丝万缕的联系,往往带有某种神秘性。此外,"术"还可以理解为某种"技艺",所以古代数学也经常被当成数字计算、天文或"数术"的有用工具。再如"算数"一词中,"算"是指我国古代的一种计算工具,这两个字合在一起是指关于数字运算的相关技能和知识。所以,我国古代数学往往特别强调运算的结果(而相对忽略论证的过程)和演算程序的技法,故吴文俊教授将其总结为一种"机械化"的数学思想是很有道理的。这种对数学"术"的理解,使得数学研究无法形成相对专业的研究领域,而往往附着于天文历法、水利等较为实用的相关领域。

所以,中国古代数学的一大特点是与其他学科思想杂糅于一体,数学以其实用性贯通于传统文化之中。例如,数学和天文学,特别是历法紧密相关。李约瑟曾经在《中华科学文明史》中这样评价说:在整个中国数学发展的历史中,数学的重要性主要体现在它与历法的密切相关性方面。而且,这种实用性传统一以贯之,即使是徐光启这样在历史上并不多见的科学大家,他在论述中国数学衰落原因时,也是着眼于实用性方面的:"算数之学特废于近世数百年间尔。废之缘有二,其一为名理之儒,土苴天下之实事;其一为妖妄之术,谬言数有神理,能知来藏往,靡所不效。卒于神者无一效,而实者无一存。"

而且,古代数学受传统文化思维,尤其是《易经》辩证思维的影响极为明显。中国古代数学强调直觉、模型类比、洞察,而逻辑演绎推理为数值结果所压制,所以,古代数学思想常常主要关注具体事物的数量问题,而对事物的结构、空间形式等方面不够重视。加之"经世致用"思想在数学中表现得极为明显,因此与商业、社会生活相关的算数一直相对发达。而算术的发展,又与计算工具密切相关,算筹和珠算大行其道的背景也在这里。

另外,与机械化和辩证思维相关的另一个特点是数学的非形式化,即经验性特征。李约瑟的评价在某种程度上说明了这一问题:中国古代的数学,就它的本土性而言,暴露出这样一种弱点,即中国数学缺少一种严格求证的思想,这一点可能是一种思维风格的结果,但这种思维风格也导致了形式逻辑不能在中国发展起来,中国人对事物以联想的和有机的思考为主。而这种非形式化的思维,却发展出了一套独具特色的机械化的数学计算方法。为此,我们可以说:用历史的视界来看世界数学的发展,其中古代中国和古希腊的数学分别代表着东方和西方的两大数学传统,前者是一个机械化的算法体系,而后者是一个公理化的演绎体系,因此一部世界数学发展的历史,就是这两大传统相互影响和反复消长的历史发展过程。

原典选读

关于"勾股圆方术"（引自《周髀算经》）

昔者周公问于商高曰："窃闻乎大夫善数也。请问古者包牺立周天历度。夫天不可阶而升，地不可得尺寸而度，请问数安从出？"

商高曰："数之法出于圆方，圆出于方，方出于矩，矩出于九九八十一。故折矩，以为句广三，股修四，径隅五。既方其外，半之一矩，环而共盘，得成三四五。两矩共长二十有五，是谓积矩。故禹之所以治天下者，此数之所生也。"

关于"勾股定理"的应用（引自《九章算术》第九章勾股，第六题）

"今有池方一丈，葭生其中央，出水一尺，引葭赴岸，适与岸齐。问水深、葭长各几何？"

术曰：半池方自乘，以出水一尺自乘，减之，馀，倍出水除之，即得水深，加出水数，得葭长。

刘徽论数学（引自《九章算术注》原序）

昔在包牺氏始画八卦，以通神明之德，以类万物之情，作九九之术，以合六爻之变。暨于黄帝神而化之，引而伸之，于是建历纪，协律吕，用稽道原，然后两仪四象精微之气可得而效焉。记称隶首作数，其详未之闻也。按周公制礼而有九数，九数之流，则《九章》是矣。往者暴秦焚书，经术散坏。自时厥后，汉北平侯张苍、大司农中丞耿寿昌皆以善算命世。苍等因旧文之遗残，各称删补。故校其目则与古或异，而所论者多近语也。

徽幼习《九章》，长再详览。观阴阳之割裂，总算术之根源，探赜之暇，遂悟其意。是以敢竭顽鲁，采其所见，为之作注。事类相推，各有攸归。故枝条虽分而同本干者，知发其一端而已。又所析理以辞，解体用图，庶亦约而能周，通而不黩，览之者思过半矣。且算在六艺，古者以宾兴贤能，教习国子；虽曰九数，其能穷纤入微，探测无方；至于以法相传，亦犹规矩度量，可得而共，非特难为也。当今好之者寡，故世虽多通才达学，而未必能综于此耳。

《周官·大司徒》职，夏至日中立八尺之表。其景尺有五寸，谓之地中。说云，南戴日下万五千里。夫云尔者，以术推之。按：《九章》立四表望远及因木望山之术，皆端旁互见，无有超邈若斯之类。然则苍等为术，犹未足以博尽群数也。徽寻九数有重差之名，原其指趣乃所以施于此也。凡望极高、测绝深而兼知其远者，必用重差、句股，则必以重差为率，故曰重差也。立两表于洛阳之城，令高八尺，南北各尽平地。同日度其正中之时。以景差为法，表高乘表间为实，实如法而一。所得加表高，即日去地也。以南表之景乘表间为实，实如法而一，即为从南表至南戴日下也。以南戴日下及日去地为句、股，为之求弦，即日去人也。以径寸之筒南望日，日满筒空，则定筒之长短以为股率，以筒径为句率，日去人之数为大股，大股之句即日径也。虽天圆穹之象，犹曰可度，又况泰山之高与江海之广哉。徽以为今之史籍且略举天地之物，考论厥数，载之于志，以阐世术之美，辄造《重差》，并为注解，以究古人之意，缀于句股之下。度高者重表，测深者累矩，孤离者三望，离而又旁求者四望。触类而长之，则虽幽遐诡伏，靡所不入，博物君子，详而览焉。

中国古代的天文学与历法

天文学在中国有着悠久的历史。我国古代天文学在天文观测、仪器制造、历法和天文学理论等诸多领域都取得了令世人瞩目的伟大成就,在世界天文学史上占有重要的地位。特别是近年来,随着国际学术界对中国天文学研究的日益重视,原来备受轻视的中国古代天文学研究正日益引起世人的高度关注。

古代天文学理论与观测

神秘而静谧的星空一直是中国先民们仰望而又神往之地,"嫦娥奔月"的传说故事更是赋予星空、日月以美好的想象。为此,"头顶灿烂的星空"一直震撼着我们的先祖们,他们在漫长的历史长河中,为我们留下了最成熟和完整的学科之一——中国古代天文学。

一

天文学起源于人类社会生活和生产的需要以及古人对神秘宇宙的敬畏与好奇。在原始社会,早期的人类孤独无援,尤其是在面临狂怒的自然灾害时,他们内心充满恐惧,但同时也渴望认识和了解这些自然现象,甚至渴望能利用和支配这些超人的自然力量。古代天文学正是这种矛盾心理状态下的产物。处于萌芽形态中的天文学与占星术、神话传说、天象观测等混为一体。而在以后的发展过程中,我国古代天文学的范畴也较现代天文学的意义宽泛得多,所以很多人将中国古代天文学称为"天学"。

人类生产实践活动的需要,特别是农业发展的需要,推动了古代天文学的发展。事实上,天文学是我国古代出现最早的自然科学学科之一。早在夏商时期,天文学就有了一定的发展,并已设置了天文学方面的专门官职和天文观测场所,如《诗经》所记载的:天子有灵台,以观天文。观天象是天子的命令,有所谓"关乎天文,以察时变",即天文关乎国家时局的变化,所以不得不察。为此,《尚书》中也记载说:(尧)乃命羲和,钦若昊天,历象日月星辰,敬授人时。这些记录都表明中国古代社会对天象的高度关注。之后诸朝的太史公、太史令、浑天监、钦天监等官职都曾承担过天文和历法方面的职能,例如司马谈、司马迁父子就曾先后担任太史公的官职。当时天文学的主要职能是为皇家服务,负责预测吉凶,修订历法。在古代统治者看来,王朝的命运和国家的兴衰与天文现象息息相关;天象和历法也是王权的象征,所以历法只有朝廷才有权力颁布。在这种背景下,古代天文学一直为中央政府所垄断,天文学既要密切关注天体运行的动向,又要使相关天文学的内容不为外人所知。可以说,天文学在其发展之初就蒙上了一层神秘的面纱,天文观测和农业历法更是其中的重中之重。

基于天象与政治之间具有重要关系的设想,天文观测成为古代天文学家的主要职责。也出于以上原因,我国古代天文学特别是对天象的异常现象极为重视,这就为世人留下了大量精确可靠的天文观测资料。特别是在春秋时期之后,我国古代的天文学观测资料有了系统性和连续性,保存了延续千年的完整天象资料,为世界古代的天文学研究提供了最令人信服的宝贵资料。对此,李约瑟给予了高度评价,他说:中国古代的天象观测记录表明,他们是在阿拉伯人以前全世界最持久和最精确的天象观测者。甚至在今天,那些要寻找过去天象资料信息的人,也不得不求助于中国古代的记录,因为在很长一段历史时期内几乎只有中国的天象记录是可供利用的。根据《中国古代天象记录总集》的统计,我国古代天文学为世人留下的天象资料中,包括日食、月食、彗星记录各1000多次,太阳黑子活动记录200多次。

据文献记载,我国古代天文资料中对哈雷彗星的观测记录极为详尽和完整,共有31次之多,这些材料具有极高的科学研究价值。一般认为,关于哈雷彗星的最早记载见于公元前7世纪,有些学者认为更早的记录可以追溯到公元前11世纪的《淮南子》中:"武王伐纣,东面而迎岁,至汜而水,至共头而坠。彗星出而授殷人其柄。"这里只采用了一般公认的说法,而不再涉及一些相关的争论。又据文献记载:"秋七月,有星孛入北斗。"这次的哈雷彗星出现在鲁文公十四年,即公元前613年。在《史记·秦始皇本纪》中也有关于哈雷彗星的一段著名的文字:"七年,彗星先出东方,见北方,五月见西方……彗星复见西方十六日。"哈雷彗星的每一次出现,在我国的古代典籍中都有相关的明确记录。这些记录,比欧洲以及世界上其他地区的相关资料要早,也更完整和准确。

此外,关于新星和超新星的记录也具有重要价值。早在殷商时代的甲骨文中,便有这样的记录:"七日己巳,夕有新大星并火。"这是说在七日那天,在"心宿二星"(古称"火"或"大火")附近出现一颗超大的新星。另外一块甲骨上则记有:"辛未有毁新星。"这些文字是目前关于超新星现象的最早记载。和对彗星等的观测类似,这种异常天象在我国典籍中都有系统记载,而西方对新星和超新星的记载却较为罕见。有人做过统计,我国古代文献中记录的新星多达90颗,而关于超新星的记录也有十余次,这为今天的天文学研究提供了宝贵资料。

二

《甘石星经》是我国最早的天文学著作,原载一卷,今本为两卷,托名汉甘公、石申撰,有的版本不署撰人名。在这部著作中,保留了中国古代大量的天文观测资料,例如最早记录了火星的逆行现象,并绘有世界上最古老的恒星表之一。其中还包括对金、木、水、火、土五大行星的系统观察,以及一百多颗恒星位置的测定等重要内容。可以说,春秋战国时代是我国古代天文学奠基的关键时期,它确定了之后中国传统天文学发展的基本方向、内容和特征。

秦汉以来,天文学理论也随着观测资料的积累而发展起来,并逐步系统化。《周髀算经》记载了我国古代最早的"盖天说"。这是一种相当直观的宇宙观,确如"天似穹庐,笼盖四野"说法所描述的那样,天空像一个巨大的穹庐或无形的锅盖笼罩在平整的大地上。而"浑天说"是另一个著名的宇宙学说,其最完整的表述来自于汉代的张衡(78—139),他写道:"浑天如鸡子。天体圆如弹丸,地如鸡子中黄,孤居于天内,天大而地小。"需要指出的是,张衡是汉代天文学家的代表,他在天文学、数学、机械技术等方面都有杰出贡献,他为天文学研究制造了专门的浑天仪、刻漏、候风地动仪等仪器,并著有《灵宪》。至于"宣夜说",一般认为是汉代的郄萌提出的(据《晋书》记载)。在"宣夜说"看来,所谓"天",就是没有形质的无限空间(天无质),太阳、月亮以及诸星都飘浮于空中,"行止皆积气"。以上这三种学说是中国古代天文学家对宇宙论提出的最早的理论猜测。

为了更精确地描述天文学现象,秦汉时期的天文学研究已经与数学有了紧密的联系。例如在《周髀算经》中,为了计算天体运行的速度,就运用到了复杂的涉及分数的乘除法,并且还创造性地应用了等间距的一次内插法。从此之后,数学便与天文学结下了不解之缘。

在天文观测方面,秦汉时期的观测资料更加系统化和精确化,为后来天文学家的研究准备了翔实可靠的文献来源。司马迁在《史记》中还开辟专门篇章来记载天文历法方面的材料。例如在"历""天官"等章节中,他详尽记载了大量天文学星象和历法等方面的资料。之后,班固的《汉书》基本上也延续了《史记》对天文学记录的传统,在这部著作中,班固明确记载了世界上最早的一次新星和太阳黑子的活动情况。

魏晋南北朝时期,我国对天文学的观测记录并没有因为战乱而停滞下来。比如,虞喜最早独立发现了岁差现象,紧接着祖冲之等人就在历法中讨论了岁差问题。隋唐重新实现统一以后,在客观上推进了天文学的发展。唐代的僧一行在724—725年第一次主持测量了子午线长,并编制了《大衍历》,这对后世天文学产生了巨大影响。1972年国际小行星组织把一颗小行星命名为"一行小行星",以纪念僧一行的贡献。在天文学理论发展方面,柳宗元和刘禹锡等人就宇宙的起源、发展和演变等问题进行了理论探讨,这对后世的中国文化产生了深远影响。另外,天文学仪器的制造在这一时期也有很大的发展,李淳风改制的浑仪、浑天黄道仪等天文学仪器的发明就是杰出代表;而僧一行等人制造的黄道游仪也很著名,这些仪器在天文观测中起到了至关重要的作用。

宋代时期,苏颂的天文学成就最具有代表性。在1088年,苏颂组织韩公廉等人建造了一台精确的水运仪象台,并完成了《新仪象法要》一书。据记载,这一仪象台高十余米(三丈五尺六寸),宽约七米(二丈一尺),整体为木制结构,由水力推动齿轮使得仪象台得以运行,并且其运行情况与天象相吻合。最令人惊奇的是,仪象台的报时装置,每到一个正时,就会有一个木制小人准确报时,可谓中国古代最先进的天文钟和机械钟。但非常可惜的是苏颂的水运仪象台在1127年金军攻打当时的东京城时被毁,从此这一为李约瑟等人推崇备至的仪象台,再也没有能够再现。近代以来,国内外不少学者仍在致力于它的复原工作。而苏颂所著的《新仪象法要》,也是当时最重要的天文学著作,他在书中所绘制的星图是当时最先进的星象图。

到了元代,天文学继续向前发展。郭守敬是中国元代的著名科学家和天文学家,他在天文学、历法、数学和水利工程等领域都作出了杰出的贡献。在天文学方面,《授时历》是郭守敬最具代表性的重要著作之一。在这部著作中,郭守敬计算出一年的周期为365.2425天,这是当时世界上最精确的历法,也是中国有史以来最精确的历法。此外,他还编著了其他一些天文学著作。(在水利工程方面,惠通河就是郭守敬指挥的杰作)元代天文学发达的一个原因与中外天文学交流有关,特别是一大批阿拉伯天文学家受到了朝廷的重视,这极大地推进了这一时期天文观测和观测仪器的发展。元代朝廷很重视天文观测,郭守敬

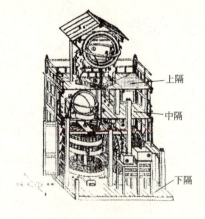

上隔

中隔

下隔

苏颂水运仪象台图

就曾经组织过全国规模的天文观测工作。在这种背景下,天文观测仪器的设计和制造水平得到进一步提升,在当时我国的诸多观测站中都有精确的大型观测仪器。

　　明代以后,天文学在民间受到严厉禁止,天文学研究总体上逐渐走向了衰落。但在这一时期,明朝政府比较重视天文观测和历法的修订,以及天文学和天文观测仪器的建设,并且和元代一样设立了"回回司天监"。清代初期,统治者对天文学采取了较为开明的政策,特别是汤若望等耶稣会士传入的西方先进的天文学理论在国内得到广泛传播,从而大大推动了传统天文学的创新与发展,尤其是在观测仪器方面表现得极为突出。关于明清这一时期天文学发展的状况将在下一部分专门介绍。

历法的发展

　　历法一直是我国古代天文学最重要的内容,所谓"观象授时"正是此意,天文观测的一个重要目的是为了适应农业对于历法准确性的需要。在某种意义上可以说,天文学的最早起源是与农业生产紧密相关的,历法是直接为农耕文明服务的:"年,熟谷也。"司马迁曾经在《史记·历》中这样描述历法的开始:"盖黄帝考定星历,建立五行,起消息,正闰馀,于是有天地神祇物类之官,是谓五官。各司其序,不相乱也。"当然,历法的颁布,反过来也是要彰显统治政权的权威和合法性,可见天文、历法与农业的密切相关是有其深厚的社会政治基础的。

　　《夏小正》是我国古代流传下来的一部较早的历法书籍,它对我国历代天文历法的影响极大。一般认为,《夏小正》是我国夏朝流传下来的天文学著作,"颁夏时于邦国"(也有学者认为成书于战国)。但毫无疑问,《夏小正》是我们了解中国早期社会历法的重要典籍。时至现代,人们还经常以"夏历"指称我国通用的阴历历法。根据李约瑟统计:"在公元前370年到公元1851年之间,中国编制和颁行了不少于102部历法,它们一般在一个朝代或政权考试时颁布。……所以它们构成了无可比拟的天文学资料。从中可以清楚地看到各种天文学常数在精度上逐渐和连续的提高,而它们真正地被用来展示古代和中古时期中国天文学家对真实世界的准确描述中的一种循序渐进的提高。"春秋时期,"四分历"开始发展起来,到了战国以后,"四分历"被普遍接受,这种历法定一年为 365 又 1/4 天,这比同样形式的罗马儒略历早了 500 多年。

秦朝建立以后,统一使用颛顼历(四分历),"颛顼历"以十月为岁首,为四分历,是秦国传统历法,在秦始皇统一六国后颁布,并在秦国通行。这一历法一直沿用到汉武帝时期,才采用了新的历法——太初历。这部历法把一年确定为 365.2502 天,一个月为 29.53086 天,正月为一年之始。这是我国古代一部较系统的历法,同时也是那时候最先进、最精确的历法。而在《淮南子》中已经有了完整的二十四节气,这有利于发挥其对农林牧副渔等方面生产活动的指导作用。汉代的另一部重要历法是《乾象历》,在这部历法中,刘洪进一步把回归年精确到了 365.2462 天,一月为 29.2462 天,这部历法大大提高了天文学计算的精确性。

魏晋南北朝时,祖冲之发现传统的《元嘉历》存在较大的误差。他在《大明历》的修订中注意到岁差问题,初次将其引入历法的计算之中,并对回归年与恒星年作出分别。而且,祖冲之把圭表用于确定冬至的方法也为后来的天文学家们所普遍采用。

隋朝在实现中国的统一后,天文学和历法学都得到发展,《皇极历》是当时最先进的历法。刘焯(544—610)在编订这部历法时,在理论上多有创新,他通过等间距的内插法公式来处理日月运行中存在的不均匀性问题,在岁差计算上采用75 年差一度的算法,这已

	岁 余	
	回归年零数(日)	恒星年零数(日)
真值	—	0.25637
真值(经计算):		
汉(公元200年)	0.242305	—
唐(公元750年)	0.242270	—
元(公元1250年)	0.242240	—
由卜辞(公元前十三世纪)推得①	—	0.25
刘歆(《三统历》,公元前7年)②	0.250162	—
祖冲之(《大明历》,公元463年)③	0.242315	—
郭守敬(《授时历》,公元1281年)④	0.242500	—
韩翊(《黄初历》,公元220年)⑤	—	0.255989
刘焯(《皇极历》,公元604年)⑥	—	0.257610
一行(《大衍历》,公元724年)⑦	—	0.256250
郭守敬(《授时历》,公元1281年)⑧	—	0.257500

回归年与恒星年的岁余数值
(选自《中国科学技术史》)

是相当精确的数值了。《皇极历》虽未被正式颁布施行,但它在古代历法史上占有重要地位。唐代李淳风就是以《皇极历》为基础形成了《麟德历》。僧一行在历法方面的重要贡献是与张说等人对《大衍历》的编订,在这部历法中,僧一行不再按照二十四节气等分的传统原则计算节气,而是使用了更加准确的不等间距的二次内插法解决日月运行的速度不均匀问题,这是历法学的又一次重要进步。

宋代颁布的历法最多,达到 18 部,其中最先进的历法莫过于《统天历》。这部历法由杨忠辅在 1199 年编订。宋代较以前时期积累了更加详尽的天文观测资料,杨忠辅在精密观测的基础上将回归年测定为 365.2425 天(欧洲的格里高利历同样采用了这一数值,这是在《统天历》正式颁布的 383 年之后)。但这部历法却命运多舛,在颁行的第二年就对一次日食的预测出现偏差问题,几年后再次出现预测偏差,而随后被《开禧历》替代。此外,沈括还提出了"十二气历",以便使得历法与当时的农时以及天象季节的变化情况更好地吻合,这是古代历法中极具特色的内容。而且,沈括的"会圆术"又为以后的天文学研究提供了新的数学武器。

元代的《授时历》达到了我国古代历法的巅峰。郭守敬和王恂等人在传统天文学和历法理论与天文资料的基础上,集合元代全国规模的天文观测力量,并且在拥有先进的大型天文学仪器以及坚实的文献基础上,进行了诸多的理论创新,终于在 1280 年完成《授时历》这部历法著作。之后的明末,徐光启修订了《崇祯历书》。徐光启在主持编写历法的时候,积极向欧洲先进天文学学习,并聘请了汤若望等人前来工作,这是我国天文历法方面的一次重要变革。总的来看,《崇祯历书》与传统历法著作相比开始有了巨大不同,丹麦天文学家第谷的天文学折中体系实际上成为新历法的基础(兼

及托勒密和哥白尼的天文学），而且球面几何等新的几何学方法得以广泛应用，所以

"这部汇集了托勒密、哥白尼、第谷等西方天文学家之理论的天文学巨著，在形式上虽以中国传统的历法出现，但在内容上已经完全不同于中国的传统历法。它是在用西方的天文学理论来探讨中国的历法问题。在方法上一改中国传统的代数学方法而引进了欧洲古典的几何模型的方法，这对中国历法是一次巨大的变革"。但新的历法尚未颁布，明朝就灭亡了。

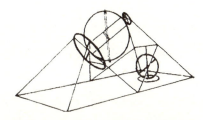

郭守敬"简仪"（选自《图解天文学史》）

天文学的中外交流与评价

我国古代天文学基本上是沿着中国文化自身的逻辑自主发展的,在几千年的历史长河中为后人留下了辉煌灿烂的成就。但古代天文学的独立发展并不妨碍我国古代天文学与欧洲以及阿拉伯天文学的交流,在这种交流互动中,它们共同推进了世界天文学的发展。

一

唐代是我国古代天文学对外交流的重要时期,在广泛的文化交流过程中,阿拉伯天文学陆续传入中国,以阿拉伯天文学为基础的"回回历法"随之传入。而到了宋代,阿拉伯天文学家发挥了很大作用,他们的天文学思想影响在中国内地不断扩大,许多阿拉伯天文学家直接参与了中国朝廷的历法制定,并担任了相应的官职。到了元代,我国与阿拉伯文明的交流更加广泛,阿拉伯天文学对中国传统天文学产生了较大影响,甚至元世祖还设立了专门的回回司天监,这直接为阿拉伯天文学家的工作提供了便利舞台,凭借这个舞台,阿拉伯天文学仪器和历法等被引入中国的天文学研究中。郭守敬制定的著名的《授时历》,就曾经参照了阿拉伯天文学的一些资料。

宋元以后,我国古代天文学发展的步伐逐渐减慢。例如在明代,天文学在天文观测、理论和历法方面的成就,较之以前要逊色很多。在《近代科学为什么诞生在西方》中,托比·胡弗曾这样描述当时的天文学发展情况:在明朝的初年,中国官方天文台的天文学家并不知道地理位置变化在天文计算中的重要性。正如何丙郁所指出,一直到了1447年左右,朝廷天文机构的主管才向皇帝报告说,北京的北极角距以及太阳升落的时间与南京有所不同,而且冬季和夏季的昼夜长短也不同,但是北京水时钟的时间指示杆是基于南京所使用的指示杆。此后,皇帝不得不下令重新制造和校准这些指示杆。而且,明代的这种落后状态使得中国天文学自13世纪以来就不断雇佣穆斯林天文学家来到中国天文台工作,这种情况一直持续到16世纪耶稣会士到来。这是以往中国天文学所没有出现过的情况。

但在这一时期,中外天文学的交流和合作却大大加强了,明朝也仿照元朝设置了回族司天监,以便让阿拉伯天文学继续发挥作用。与此同时,以利玛窦等人为代表的耶稣会士开始进入中国传教,为了能够在当时社会上立足,他们确立了学术传教的基本方法,以西方先进的科学技术等内容来吸引中国的知识阶层。当时他们主要的知识介绍包括数学、天文学、机械制造等诸多领域,在这种情况下,欧洲天文学思想陆续传入中国。特别是在历法方面,西方先进的天文学和历法对明代的天文学家震动很大,他们意识到西法对修正中国历法的重要性。西方天文学从此备受重视,许多耶稣会士甚至加入了当时历法的修订工作。比如前面已经提到,在徐光启主持制定《崇祯历书》的过程中,汤若望、罗雅谷等传教士就参加了修订的相关工作,并发挥了重要作用。

在清朝建立以后,颁行于天下的《时宪书》正是汤若望把《崇祯历书》作了一些变动之后的产物,而汤若望本人还被直接任命为管理天文学的钦天监监正。到了雍正、乾隆年间,以开普勒、牛顿等人为代表的新天文学以及相关历法理论进一步传入中国。梅文鼎、阮元、戴震等人都曾经对西方一些主要天文学家的思想及其贡献作过专门研究,并陆续介绍了托勒密、哥白尼等人的一些天文学思想。当时其他重要的天文学著作还包括薛凤祚的《历学会通》、王锡阐的《晓庵新法》《五星行度解》以及梅文鼎的《历法全书》等。

当时,欧洲天文学仪器也随之传入了中国。在传教士的带动下,由汤若望和蒋玉菡带来的望远镜很快被用于天文学观测,为此,汤若望还写过专门的著作来介绍望远镜的制造和使用方法。在汤若望任钦天监监正的时候,许多新的天文学仪器被引入使用,而且在西方天文学的影响下,他们改进了我国许多传统的天文学仪器和设备。随着西方先进天文学思想在中国的传播,许多数学家和天文学家在此基础上进一步推动了我国传统天文学的发展。但遗憾的是当时在天文学界的主导思想仍是"西学中源",受这种迂腐观念的影响,许多先进的科学技术成果仍无法为人们所普遍接受,而只是将其视为奇技淫巧般的纯粹技能,它们至多只是因为好用而被关注的。例如,地球的观念就深受排斥。早在徐光启时代,"地圆"的观念就已经传入我国,但士大夫阶层皆不以为然;甚至连明末清初的大学者王夫之也对这种"地圆"说法嗤之以鼻,没有认真思考。这种状况在客观上阻碍了中西天文学的交流互动,中国天文学从此日趋落后。

应当说,清代康熙是中国历史上绝无仅有的一位对自然科学怀有浓厚兴趣的帝王。而他所倡导的"西学中源"说,一方面推进了清代"会通中西"工作,另一方面却强化了国人崇古、拒变、固守传统等文化意识和文化中心主义的优越感,它作为一种惰性,严重阻碍文化的开放与变迁。当中国的统治者、知识分子与普通百姓仍然沉浸在"天朝大国"的美梦之中时,西方总体的科学水平早已超过了中国。

鸦片战争以后,随着西方列强的入侵,天文学新理论、新体系才大规模地在中国传播。

二

　　天文学与历法一直在我国古代文化中占有重要地位,甚至是正统的儒家之学。当然,这在很大程度上源于天文学的独特政治功能,即天文学代表着人间与上天之间的沟通,天象即是政治现象。于是,天文学也随之具有了浓厚的政治色彩,甚至在很长时期内,民间是禁止天文学研究的。而且,中国古代的天文学,并非单单一个狭隘的观天之学,它与文学、艺术、工程、技术等有机地联系在一起。由于对天文学的这种政治和伦理学上的考虑,古代天文学的关注重心一直在拱级区以及赤道,北极星处于观测的中心,而二十八宿则成为天文观测的基本背景。这与古希腊的黄道坐标系以及阿拉伯世界的地平坐标形成了鲜明的对照,也进一步决定了传统天文学的独特价值和意义。

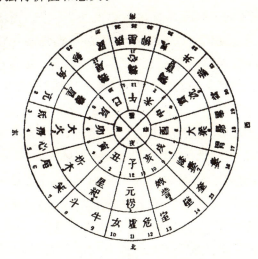

古代天文学中的赤道分区图(选自《中国科学技术史》)

　　天文学的政治化,在其积极性方面,就是天文学在政府的支持下得到了持续稳定的发展。李约瑟这样描述说:中国古代天文台一开始便是朝廷明堂中不可缺少的一部分。对农业经济来说,作为历法准则的天文学知识具有首要的意义。天文学的政治属性决定了其在中国传统文化中的定位,也决定着天文学发展的方向与逻辑。但天文学的这一附加属性也限制了天文学本身的全面发展,例如过分强调实用性一直束缚着天文学作为独立学科的发展。而且,这种学问和研究一直在神秘性的笼罩下,限于少数人掌握,难以在民间普及,这些因素都在一定程度上阻碍了中国天文学的进一步发展。

　　另外,天文学的政治性和伦理倾向,也是造成中西天文学发展不同路径的重要原因。我们在前面已经提到,对极星的关注使得古代中国天文学的参照系不同于西方,而作为一种完全独立于并区别于西方与阿拉伯世界的天文学体系,“中国天文学则采取了冲日法”,以此去“寻求位于太阳相对位置的恒星。他们把注意力集中于永远在地平上不升不落的极星和围绕极星的那些恒星”。事实上,正是鉴于天文学在中国的独特理解,也就使得“中国人”对欧洲天文学的“几何学或力学”方法“并不感到必要,整个宇宙有机体中的有机构成部分各按照其性质循着自己的道去行动,而这种运动可用本质上‘非表现性’的代数学方式去理解”。

　　所以,相对于欧洲数理天文学所具有的几何学研究特征,我国古代天文学并不完全具备这些内容,但是传统天文学却同时具有几何学之外的另一种数学特征,即代数学,这也是中国天文学的数理传统。所以“这一特征更多地源自于代数学而非几何学”,因此“就数理天文学本身而言,劳埃德已经指出,自欧多克斯时代以来,在古希腊(及后来的阿拉伯）人们就假定'某些几何模型可以为天体运动问题提供解决方案'；但是，正如李约瑟、席文、古克里等人已经注意到的，这个假定不适合中国科学。中国的天文学并非基于几何模型，而是基于代数的点来估算体系，这一体系依赖于数值计算而非几何分析"。

从传统文化的角度讲，中国古代天文学的政治伦理倾向根源于"天人合一"的传统观念。在古人看来，"天与地是由同一种原则——道，自然秩序的创建性原则——所支配的。人类社会中任何与主张秩序相逆的行为都会破坏天与地之间的和谐，也可能会导致诸如洪涝、干旱、内乱这样的灾害。因此秩序必须加以维持，上天选择具有出众品质即'德'的人，并给他们指令即'命'以统治他们的同类"。基于这种原因，席泽宗先生总结说，根据天人感应理论，人事活动和天象变化有密切关系，"天垂象，见吉凶"，换言之，中国古代天文学的最大特点就是它的经世致用性，这经世致用性是为了满足农业生产和意识形态方面的需要而产生的。

原典选读

荀子论"天"(引自《荀子》)

治乱天邪？曰：日月、星辰、瑞历，是禹、桀之所同也，禹以治，桀以乱，治乱非天也。时邪？曰：繁启蕃长于春夏，畜积收藏于秋冬，是又禹、桀之所同也，禹以治，桀以乱，治乱非时也。地邪？曰：得地则生，失地则死，是又禹、桀之所同也，禹以治，桀以乱，治乱非地也。《诗》曰："天作高山，大王荒之；彼作矣，文王康之。"此之谓也。

关于日食和月食的成因(引自《梦溪笔谈》)

又问："日月之行，月一合一对，而有蚀不蚀，何也？"予对曰：黄道与月道，如二环相叠而小差。凡日月同在一度相遇，则日为之蚀；在一度相对，则月为之亏。虽同一度，而月道与黄道不相近，自不相侵；同度而又近黄道、月道之交，日月相值，乃相凌掩。正当其交处，则蚀而既；不全当交道，则随其相犯浅深而蚀。凡日蚀，当月道自外而交入于内，则蚀起于西南，复于东北；自内而交出于外，则蚀起于西北，而复于东南。日在交东，则蚀其内；日在交西，则蚀其外。蚀既，则起于正西，复于正东。凡月蚀，月道自外入内，则蚀起于东南，复于西北；自内出外，则蚀起于东北，而复于西南。月在交东，则蚀其外；月在交西，则蚀其内。蚀既，则起于正东，复于西。交道每月退一度余，凡二百四十九交而一期。故西天法，罗睺、计都皆逆步之，乃今之交道也：交初谓之罗睺，交中谓之计都。

关于"盖天说"(引自《周髀算经》)

凡日月运行，四极之道。极下者，其地高人所居六万里。

滂沱四隤而下。天之中央亦高四旁六万里。故日光外所照径八十一万里,周二百四十三万里。故日运行处极北,北方日中,南方夜半。日在极东,东方日中,西方夜半。日在极南,南方日中,北方夜半。日在极西,西方日中,东方夜半。凡此四方者,天地四极四和。昼夜易处,加四时相反,然其阴阳所终,冬夏所极,皆若一也,天象盖笠,地法覆盘。天离地八万里,冬至之日,虽在外衡,常出极下地上二万里。故日兆月,月光乃出,故成明月。星辰乃得行列。是故秋分以往到冬至,三光之精微,以成其道远,此天地阴阳之性,自然也。

司马迁论"历"(引自《史记》)

昔自在古,历建正作于孟春。于时冰泮发蛰,百草奋兴,秭鴂先滜。物乃岁具,生于东,次顺四时,卒于冬分。时鸡三号,卒明。抚十二(月)节,卒于丑。日月成,故明也。明者孟也,幽者幼也,幽明者雌雄也。雌雄代兴,而顺至正之统也。日归于西,起明于东;月归于东,起明于西。正不率天,又不由人,则凡事易坏而难成矣。

王者易姓受命,必慎始初,改正朔,易服色,推本天元,顺承厥意。

太史公曰:神农以前尚矣。盖黄帝考定星历,建立五行,起消息,正闰馀,于是有天地神祇物类之官,是谓五官。各司其序,不相乱也。民是以能有信,神是以能有明德。民神异业,敬而不渎,故神降之嘉生,民以物享,灾祸不生,所求不匮。

中国古代的物理学思想

物理学,特别是力学知识是与我们人类的历史发展相伴随的。从人类产生之初,我们的先祖们就已经在积累和总结最早的有关物理学方面的知识了。人类在与自然界的交往过程中,无论对生产工具的产生和使用,还是对自然界的认识,无不和物理学相关联。随着社会的发展,人类的生产和生活活动,包括房屋的建筑、水利的开发、器皿的制造,乃至乐器的使用,更是须臾不可离开物理学的知识。当然,这些所谓的物理学,更多的只是零散和不系统的实用性物理知识,还远远谈不上现代意义上的物理学。本部分主要介绍中国古代的力学、光学以及声学知识中所体现的前科学思想。

古代力学思想

我国古代工匠在生产实践中发明了众多的简单机械，如尖劈、辘轳、弓弩、滑轮等，并且在此基础上制造了很多比较复杂的机械，如指南车、水排、浑天仪、地动仪，这些机械被广泛应用于农业、水利、天文观测和军事等领域。这些机械的发明与研制，反映了中国古代力学思想的萌芽。这里介绍一下比较有代表性的《墨经》和《考工记》中的力学思想。

一

首先介绍《墨经》中的力学思想。

我国春秋时期，最有代表性的物理学成就体现在墨家的经典著作《墨经》之中。在这部内容丰富的著作中，记述了大量有关力学、光学、声学方面的知识。

　　而墨家后学对几何学、光学、球面镜与平面镜成像原理等,多有建树。特别是墨家学派"赴火蹈刃,死不旋踵"的格言以及笃学苦行的精神,为后世中国学者所称道和继承。

　　杠杆是我国出现最早、应用最广的简单机械。春秋战国时期常用到的杠杆装置,一是汲水用的桔槔,二是作为衡器的天平和杆秤。在长期的使用过程中,逐渐提炼出了某些力学思想。其中最有代表性的是墨翟所创立的关于科学技术的论述,包括数学、力学、声学、光学等方面,主要保存在《墨经》中。

　　墨翟是战国初期著名的学者,鲁国人。他曾经做过工匠,长于机械制造,同时又是一位非常博学的知识分子。以他为代表的墨家学派流传下来的著作有《墨子》一书。全书原有71篇,现存53篇。这本书代表了墨家学派的思想。而《墨经》是《墨子》的一部分。《墨经》包括《经上》《经下》以及分别作为其注解的《经说上》《经说下》。

　　关于力的概念,墨家是第一个较明确提出这个概念的。墨家最早指出:"力,刑(形、形体)之所以奋也。"此条《经说》解释说:"力,重之谓。下、举,重奋也。"这就是说,力是有形物体之所以能够运动的原因;物体的重量同样也是一种力的表现,无论是物体下落还是被举起的运动,均与物体本身的重量("重")有密切关系。这与牛顿力学产生前人们对于物体运动原因的说明是一致的。尽管当时不可能区分"重量"和"重力"两个概念,但是已经确认了地球上的落体运动产生的原因。而且,《墨经》中还特别阐明,一个重物在自由下落时,必定是沿着竖直方向的。

　　墨家对于力的平衡问题作过非常详尽的研究。我们知道,我国古代的衡器,先有天平,再有不等臂秤,然后才有提系杆秤。史传我国在黄帝时代就有了天平,但迄今出土的最

早的天平是春秋战国时期的制品。墨家根据提取井水的桔
槔和不等臂秤的实际运用,深
入地探讨了杠杆平衡的问题。

桔槔图

比如,在《墨经·经下》《经
说下》中指出:"衡而必正,说在
得。""长、重者下,短、轻者上。"
一个杠杆如果处于平衡状态,
那么它必定是水平("正")的。
"得"的本意指"取得",在这里
引申为契合,就是说,其所以平
衡,是因为各种因素相互契合
的结果。而如果一侧长或者
重,就会向下运动;另一侧短或
者轻,就会向上运动,这样就破
坏了杠杆的平衡。

特别值得指出的是,墨家在公元前 5 世纪早于阿基米德
200 年左右,就提出了相当于近代力学的"力臂"的概念——
"本"(杠杆中的支点到重物间的杆长,即近代力学所说的动
力臂)和"标"(支点到秤锤之间的杆长,即近代力学所说的阻
力臂)——以及"权"(秤锤或砝码)和"重"(重物)的概念。

"衡:加重于其一旁,必捶(垂)。权、重相若也,相衡,则
本短标长。两加焉,重相若,则标必下,标得权也。"就是说,
在平衡时,如果加重其中一边,这一边一定下垂;只有使权、
重相若,即成某一比例时,才能达到两边平衡,此时必然"本
短标长";假如在两边增加相等的重量,"标"这一端必定下
垂,这是由于"标"和"权"的联合作用较大所致,即"标得权
也"。墨家用确切的术语比较完整地表述了不等臂杠杆所表
现的状态。

墨家还用锥刺物作类比，说明不等臂秤能以较轻的秤锤举起较重的物体，就像利用锥子能够很容易地刺进物体一样。作为杠杆原理应用的一个例子是，《墨经》第 111 条中有一句话："举之则轻，废之则重，非有力也。"意思是，放置于地的重物本身是很重的，但提举它时显得很轻，这是什么缘故呢？不是因为提举人的力气很大，而是因为利用杠杆、轮轴、斜面等简单机械所造成的省力效应所致。遗憾的是墨家没有进一步探究杠杆省力等现象的理论依据。但阿基米德却不满足于经验上的了解，而是诉诸形式工具对杠杆问题进行深入的理论探究和证明。

除了墨家对刚体静力学的上述贡献之外，《墨经》中还讨论了流体静力学的一个重要概念——浮力。《墨经》里有两段论述浮力原理的文字。

"荆之大，其沉浅，说在具。"意思是说，木材很大，在水中沉下去的部分很浅，其中的道理在于木材的重量与它所受到的浮力相等便平衡了。

"沉，荆之具也。则沉浅，非荆浅也，若易五之一。"也就是说，把物体放进水中，物体在水中平衡了。即使它沉下去的部分很浅，并不是它本身矮浅（而是物体重量跟所受浮力相比较的结果），就如商品交易，根据比价，一件商品可以换五件别的商品。

上面两段文字中的"荆"，应作"刑"，意思是"形体"，具体指木材。"具"，通"俱"，意思是"相同""对等"，即平衡。

看来，墨翟全面考察了物体在水中受力的情况，既看到了物体有受浮力的一面，又看到了物体还有受重力的另一面。浮力是竖直向上的，重力是竖直向下的。重力即物体的重量。物体的沉浮取决于这两个力的相互作用。墨翟虽然没有明确地提出浮力定律，但上述两段文字，表明他已经懂得浮体沉浸在水中的部分和浮体自身的某种关系了。

二

《考工记》是春秋末年齐国人的佚名著作,它是我国先秦时期著名的手工艺专著,反映了当时社会的工商业蓬勃兴起以及手工业分工开始细化的现实。世界著名的科学史家李约瑟博士和中国著名的物理学史家钱临照先生都高度评价这部古代技术史上的重要文献。

这里仅以其中的《考工记·总叙》和《考工记·轮人》为代表,介绍《考工记》对于滚动摩擦的研究及应用。

我们知道,在古代车辆的制造中,车轮的质料、直径、安装位置及其摩擦力的大小等因素,决定了车辆的质量好坏。

对此,《考工记》作了非常清晰的论述。《考工记·总叙》中写道:“凡察车之道,必自载于地者始也,是故察车自轮始。”这就是说,考察一辆马车的功能如何,其要领必定从地面的荷载开始,因此考察马车的功能需从考核该车的车轮开始。这是因为,车子载于地面上,所以它与地面接触的部分只有车轮。由于车轮承担着负重和运行的功能,因此,车轮的坚固程度和运行速度,就显得十分重要。正如《考工记·总叙》中所说:“凡察车之道,欲其朴属而微至。不朴属,无以为完久也;不微至,无以为戚速也。”这就是说,考察一辆马车的功能如何,关键要注意它的结构是否坚固,车轮的着地面积是否尽量微少。如果车轮的结构不够缜密坚固,就无法使车子坚固而耐久;如果车轮与地的接触面积不是尽量微少,那么它就不会运转快捷。换句话说,要想使得车轮运转快捷,就必须最大限度地减少车轮与地面之间的摩擦力。这里涉及的就是近代力学中讨论的滚动摩擦概念。作者对于滚动物体(轮子)的滚动速度和与滚动物体接触面积的多寡之间的关系的研究,十分符合近代力学的原理,只是没有定量地表达为具有普遍性的数学公式。

近代力学告诉我们,滚动摩擦阻力和滚动物体与接触面的变形有关。那么,怎样做到"微至",《考工记·轮人》说得很清楚:"欲其微至也,无所取之,取诸圜也。"这就是说,要想车轮的着地面积尽量微少,没有其他办法,只有要求车轮是正圆。用近代力学的语言,就是把车轮抽象为几何圆,把地面抽象为圆的切线,从而使车轮的着地部分成为一个没有大小的几何点。这不仅在当时,而且即使在今天也不可能做到。但是,我国古人非常聪明的地方在于,《考工记·轮人》从两个方面解决了这个难题。其一,是用比较坚硬的木料做车轮,其二,是要求辐条光滑而挺直,从而使车轮在重压之下,保持基本上近似于正圆。

此外,《考工记》的作者们还讨论了车轮的高低即直径的大小,对于车辆功能,特别是车速的影响。他们根据长期的生产与生活实践,发现:如果车轮过高(即直径太大),虽然不影响车速,但人不容易登车;如果车轮过低(即直径太小),车辕就始终处于上斜坡的状态,那么马就十分吃力。所以在《考工记·总叙》的最后一节还具体规定了兵车、田车和客车轮子的最佳高度(即直径)。这说明《考工记》的作者们对于近代力学中斜面受力问题已经有了非常深入的研究。

古代声学思想及其应用

无论欧洲还是中国,古代声学思想的产生,均与当时音乐的发展和乐器的制作密切联系着。原始音乐源于原始人的集体生产劳动。生活在大河流域、沿海沿湖一带的原始先民,为提高划船效率,创造了最古老的船歌;原始人狩猎满载归来,或因氏族中增添了新的生命,就会兴奋地狂欢狂舞。这种原始先民凭借歌喉或身体来抒情的行为,就是原始歌舞。我国古代,特别是儒家非常注重音乐教育。至于皇宫和

后夔典乐图(选自《书经图说》)

贵族们,更是拥有各种不同规模的乐队与众多歌伎,作为其寻欢作乐生活的重要内容。其实,早在《吕氏春秋》的《古乐篇》中,就有很多关于原始先民的歌舞的记载。而原始的声学知识就在这个过程中应运而生。

一

首先,介绍一下中国古代乐律的产生与发展。

我国古代声学的产生与发展与古代丰富的音乐实践密切相关。比如,1986—1987 年在河南贾湖村出土的公元前5000 年以前的七孔骨笛,可以吹奏六声或七声音阶。类似的骨笛比世界其他国家早近 3000 年。

1978 年在湖北随县出土了公元前 433 年左右的曾侯乙墓,其中入葬的编钟有 65 件,包括 19 件钮钟和 46 件甬钟。每件甬钟都可以发出两个准确的音,故称为"双音钟"。与此相比,欧洲直

贾湖遗址出土的七孔骨笛

到公元 9 世纪才有少量的圆铃组成的编钟乐器。中国在2000 多年前发明的编钟,是世界上所有钟类乐器中形状和结构最佳的钟。非常遗憾的是,也许因为结构过于复杂,汉代以后编钟的制造技艺就失传了。此外,曾侯乙墓中还有我国最早的笙、排箫和篪以及琴。这说明早在春秋时期以前,我国的打击乐器、管弦乐器和吹奏乐器已经不仅完备,而且由于乐器的不断演化,已积累了大量的乐律知识,甚至可以说到殷商时代已经逐步形成了原始的音阶体系。

直至春秋战国时期,我国古代的律学才产生。古代律学

作为数学和物理学相结合的产物,无疑为我国古代声学的宝库提供了重要资源。

从历史上看,我国周初已经有五声音阶。尽管《吕氏春秋》记载黄帝曾令一位乐官制定十二律,但这基本上属于传说;公元前 6 世纪一个名为伶州鸠的乐官准确列举了十二律的名称,并与武王伐纣的时间(前 1066 年)相联系,可以断定此前已经出现了系统的乐律了。这十二律的名称分别是:黄钟(C)、大吕($^\#$C)、太簇(D)、夹种($^\#$D)、姑洗(E)、仲吕(F)、蕤宾($^\#$F)、林钟(G)、夷则($^\#$G)、南昌(A)、无射($^\#$A)、应钟(B)。不过,计算乐律的方法的诞生稍滞后一些,大约在公元前 4 世纪。最重要的标志是春秋时期管仲(?—前 645)在《管子·地员》中记载的三分损益法。

所谓"三分损益"包括"三分损一"和"三分益一"两种具体操作方法。第一,如果将某一特定的弦,去其 1/3(即三分损一),就可得出该弦音的上方五度音。第二,如果将该弦增长 1/3(即三分益一),就可得出该弦音的下方四度音。将上述两种操作方法交替、连续使用,各音律便得以生成。在《管子·地员》中,运用这种方法只算到 5 个音,而到《吕氏春秋·音律篇》时,用这种方法已经可以完整地计算出十二律的长度规范。

汉代、宋代以后,三分损益法又有了极大的发展。最重要的是明代的朱载堉(1536—约 1610)在其《乐律全书》中所发明的"新法密律",即现代物理学辞典以及音乐辞典中所说的"十二等程律"(或称"十二平均律")。我国著名物理学史专家戴念祖先生称这部著作"是世界音乐史上的划时代之作"。具有讽刺意味的是,朱载堉将其毕生努力所得呈献给清代皇帝时,这些无价之宝竟被打入冷宫,甚至康、乾二帝还蓄意反对"十二等程律",并且别出心裁地"创造"了一个完全错误的所谓"十四律"。直至"十二等程律"传到欧洲后,才轰动了整个世界。

二

其次,介绍一下古代声学知识的发展状况。

上面提到的曾侯乙编钟乃是一钟而双音,这个现象一度使人感到困惑。其实沈括(1031—1095)在《梦溪笔谈》的《扁钟与圆钟》篇就探讨了这一现象产生的原因,他指出:"古乐钟皆扁,如合瓦。盖钟圆则声长,扁则声短。声短则节,声长则曲。节短处声皆相乱,不成音律。后人不知此意,悉为圆钟,急叩之多晃晃尔,清浊不复可辨。"这里是说,古代用来演奏音乐的钟都是扁的,像是两片瓦对合起来的样子。这大概是因为圆的钟敲起来余音长,扁的钟敲起来余音短。余音短就容易形成节奏,圆钟敲起来声音长,因而余音也长。遇到节奏快的地方,长长的余音就会相互干扰,造成杂乱。后代的人们不明白这个道理,都把钟做成圆的,敲快了的时候,就会发出"晃晃"的声音,无法再分辨声音的高低清浊了。

进入20世纪以后,音乐考古专家用物理实验方法证实了沈括的猜测。经现代声学家检测发现,编钟之所以能一钟双音,与钟体的材料无关,而在于它区别于欧洲盛行的正圆形古钟,其钟体的横截面不是正圆形,而是椭圆形;更重要的是,钟体具有合瓦形结构。这种结构的特殊效果在于,当敲击钟的正面时,侧面的振幅为零,而当敲击侧面时,正面的振幅为零。这样双音共存一体,又不互相干扰。

在《考工记·凫氏》中,讲到青铜编钟的设计、铸造和调音时,就提出了"振动"一词:"薄厚之所振动,清浊之所由出。"意思是说,钟体本身的薄厚决定了钟的振动状况,以及音调("清浊")的高低。

我国在战国时期就出现了用石头制造的乐器——石磬，比如 1970 年湖北江陵出土的战国彩绘石磬，就非常精致。在《考工记·磬氏》中，作者就特别谈到制造石磬时，如何磨去石制磬体的两面或者两端，以便经调整使之发出的音调得以正常。是否可以认为，这里已蕴含着乐音与噪音的区别了。

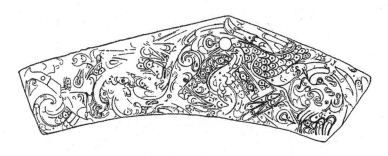

战国时期的彩绘石磬

中国人最早创造了"声学"一词，初见于沈括的《梦溪笔谈》。该书在讨论共振、和声、音调现象时指出："此声学至要妙处也。今人不知此理，故不能极天地至和之声。"

中国古代还探讨了人体和乐器发声的原因问题。公元 1 世纪，王充的《论衡》中就谈到，人声是因喉舌鼓动空气而发出的，箫笙之声也是使空气振动的结果。他写道："生人所以言语吁呼者，气括口喉之中，动摇其舌，张歙其口，故能成言。譬犹吹箫笙，箫笙折破，气越不括，手无所弄，则不成音。夫箫笙之管，犹人之口喉也；手弄其孔，犹人之动舌也。"意思是说，活人之所以能够说话叹息，是由于气包含在口喉之中，动摇舌头，口一张一合，所以就能说话。这好比吹奏箫笙，箫笙折断破损，气散了不能包含在其中，手无法按，也就不能发出声音了。箫笙的管子，如同是人的口喉；手按箫笙的孔，就好比一个人活动他的舌头一样。

《论衡》卷四《变虚篇》写道："今人操行变气远近，宜与鱼等，气应而变，宜与水均。"他认为人的声音在空气中的传播变化和水波是一样的。这里已经蕴含了物体振动成声通过媒质（空气或者水等）而传播的思想萌芽。

除了提出声学的一些名词、概念，特别值得一提的是我国古代科学家对于共振现象的研究。其中包括对于弦共振、弦管共振和钟磬共振的研究记录。

共振现象早在战国时期就为人们所发现，其后人们还发现了一些消除共振现象的方法。庄子（约前369年—前286年）在《庄子·杂篇·徐无鬼》中写道："……为之调瑟，废一于堂，废一于室，鼓宫宫动，鼓角角动，音律同矣。夫或改调一弦，于五音无当也，鼓之，二十五弦皆动，未始异于声……"这里是说，他调整好瑟弦，把两张瑟分别放置在堂上和内室。这样，当弹奏起其中一张瑟（A瑟）的宫音，则另外一张瑟（B瑟）的宫音就随之应合；而弹奏B瑟的角音，则A瑟的角音也会随之应合。这乃是音律（频率）相同的缘故。如果其中任何一根弦改了调，五个音不能和谐，弹奏起来，二十五根弦都发出震颤，然而却始终不会发出不同的声音。

对共振现象的研究最出色的当属北宋时期的著名科学家沈括。他不再是一般地描述共振现象，而是进行了声的共振实验。他的名著《梦溪笔谈》记录了一个"正声"实验，即乐器的共鸣实验。《梦溪笔谈·补笔谈卷一·乐律》中写道："欲知其应者，先调诸弦令声和，乃剪纸人加弦上，鼓其应弦，则纸人跃，他弦即不动。声律高下苟同，虽在他琴鼓之，应弦亦震，此之谓正声。"这就是说，为了要搞清楚某一根弦的应弦，可以先将各条弦的音调调整准确，然后将剪好的纸人放在待测的那根弦上，只要一弹它的"应弦"（其频率与待测弦的频率成简单整数比的弦），这个纸人就会跳跃；而弹其他弦（即它们的频率之间没有整数比关系的弦）时，纸人就不跳动。如果琴弦的声调高低都相同，那么即使在别的琴上弹奏，这张琴上的应弦同样也会振动。这就是"正声"实验。

这个实验验证了今天物理学中所说的旋律的基音和泛音的共振关系。类似这样的共振实验，欧洲到 17 世纪才出现。

三

最后，介绍我国古代对声学知识的应用。

我国古代人不仅探讨了声音的产生原因，研究了乐律及其计算的方法，阐述了共振等声学现象，而且把这些知识应用在生产、生活和军事等领域。

尽管墨家认为周代的礼乐制度耗费金钱和时间，而对之加以排斥；但是并非对声学没有研究。《墨子·备穴》篇记载了墨家所设计的几种判断地下声源方向的方法：就是用陶土烧制容积大约 40 斗的瓮，瓮口紧绷皮革，然后分别埋在一定深度的地下，让听觉灵敏的士兵伏在瓮口听地下发出的响声。这样就能够及时发现并且探听到敌军挖坑道的动静以及确定远处敌军人马的方位等。这就是所谓"地听"。此外，还有所谓"墙听"的办法，其道理类似，于此不赘述。

这些都是把空穴传声而产生混响的原理运用于军事的典型范例。到北宋时期，沈括把这种空穴效应正确地解释为

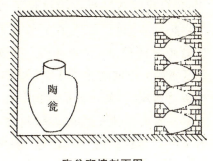

陶瓮砌墙剖面图

"虚能纳声"。

我国古代人还应用声音的反射、共振等现象,来建造有特殊需要的建筑。

比如,中国古代琴室的设计。由于古琴发声比较低微,古人就专门设计在琴室的地下埋上陶瓮,以便利用共振的原理增强音响效果。

始建于明永乐十八年(1420)的驰名中外的北京天坛,里面有回音壁、三音石与圜丘三个建筑,由于巧妙地利用了声的反射原理,因而具有非常奇特的声学特性。我们分别介绍如下。

有共鸣装置的古代琴室

北京天坛回音壁是皇穹宇的圆形围墙。墙壁是用磨砖对缝砌成的,墙头覆盖着蓝色琉璃瓦。围墙的弧度十分规则,墙面极其光滑整齐。只要甲、乙两个人分别站在东、西配殿,贴墙而立,甲紧贴着围墙向北说话,声波就会沿着墙壁传到100多米远的乙的耳朵里。无论说话声音多小,也可以使对方听得清清楚楚,而且声音悠长,堪称奇趣,所以称之为"回音壁"。回音壁有回音效果的原因在于,围墙由磨砖对缝砌成,光滑平整,声波射到围墙上的角度小于22°,满足了声波连续形成全反射的必要条件。加之围墙上端覆盖着琉璃瓦,使声波的散射非常小。

三音石是位于围墙正中间的一块石头。据说站在三音石上鼓一下掌,可以听到"啪、啪、啪"三声回音;如果用力鼓掌,还可能听到最多五六下回音。这是因为掌声等距离地传到围墙以后,被围墙反射回围墙的中心,从而有第一响;然后声音又向四面八方传递,又被围墙反射回来,在中心点组成第二响;……如此往复不断,就可以听到多次回音,直到声能在传播和反射过程中消耗殆尽,才听不到回音。

圜丘是天坛南面一个由反射性能非常好的青石和大理石砌成的圆形平台,也叫圜丘坛。其半径有 11.5 米,除了四个出入口外,四周围有青石栏杆。整个平台的台面呈中心略高,向四周微微倾斜的形状;中央是高出台面的圆形石头,叫天心石。

如果人站在台面中心喊一声,他本人听到的是比原来要大的声响,这同样是声音反射的结果。

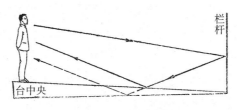

圜丘声音反射示意图

古代光学思想

　　我国原始先民很早就开始了对光的观察和研究,这使得光学成为我国古代物理学中发展最早的分支之一。现代光学分为研究光的传播路径的几何光学,以及探索光的本性的物理光学。古代不可能阐述光的本性问题,但是对于几何光学,我国古代却有很高的成就。

　　我们这里先讲一个故事。关于凹面镜成像的问题,在《墨经》里有非常地道的描述。虽然那个时代没有非常明确的"焦点"的概念,但是已经通过实验,认识到:人在球心以外,凹面镜有一小而倒的像;人在球心以内,凹面镜有一大而正的像。据说,1907年英国剑桥大学马达莱恩学院在考试时就有这样一道有关凹面镜的考题。而墨家学派在2300多年前对此就作出了完满的解答。

一

　　首先讨论古代光学中对光的直射与小孔成像现象的探讨。

　　如果说《墨经》中的力学和数学知识还比较零散,那么《墨经》中对几何光学的研究,特别是其中被近人称为"光学八条"的论述,则已然形成了一个比较系统的体系。《墨经》当中关于光学的内容不过300多字,却囊括了光的直进、物像关系、光的反射、平面镜成像、凹面镜与凸面镜成像规律等知识。尽管这是两千多年以前的科学探索,却得出符合近代光学理论的一系列成果。我国著名物理学家、科学史家钱临照先生(1906—1999)曾高度评价古代墨家的光学研究,认为《墨经》的"光学八条",是两千多年前世界上伟大的光学著作。这个评价是非常准确的。

遗憾的是,据陕西师大周衍勋先生考证,由于《墨经》的《经上》《经下》和作为其注解的《经说上》《经说下》不但文字为数太少,又夹有不少古字,并且其书写方式截然不同于一般古文的"直行式",而是使用的"旁行式"。而后人在抄刻时把"旁行式"变成"直行式"的过程中,非常容易产生由于位置判断错误而导致的字句的错误。此外,西汉以后,历代帝王均采取"罢黜百家,独尊儒术"的文化方针,墨家思想被当做异端,遭到排斥,以至于很多与科学技术有关的文献长期埋没,甚至失传。我们这里只能根据科学史界的研究成果,介绍《墨经》的光学贡献。

第一,《墨经》"光学八条"中讨论了光与影的关系、本影与半影以及标影的长短等问题。

《墨经》指出了以下几种现象。其一,物体在光照下之所以有阴影是因为物体阻挡了光线的结果("景不徙,说在改为";"景,光至,景亡,若在,尽古息")。这就清楚地说明了影子产生的原因。其二,当两个光源同时照射一个物体时,必然会各自成影,所以会有本影(最暗的地方)和副影(仅由一个光源造成的阴影,亦即现代光学所说的"半影")的区别("景二,说在重")。其三,讨论了光源和物体(比如标杆)的相对位置与影的关系,指出,物体(标杆)的斜正、距离光源的远近、光源相对于物体的大小等条件,决定了标杆影子的大小("景之小大,说在地正远近";"景,木杝,景短大。木正,景长小。大小于木,则景大于木,非独小也,远近")。实际上造成这些现象的根本原因,乃是光的直线传播规律所致。

第二,《墨经》通过小孔成像的著名实验,更直接地阐明了几何光学的重要定律之一——光的直进定律,《墨经》中以箭的行进比喻光的直线传播。

《经下》中写道:"景到,在午有端与景长,说在端。"《经说下》解释说:"景,光之人煦若射。下者之人也高,高者之人也下。足敝下光,故成景于上;首敝上光,故成景于下。在远近有端与于光,故景库内也。"这句话的大意是:因为光线像射出的箭一样,是直线行进的。当光线照射人的时候,人体下部挡住直射过来的光线,射过小孔,成影在上边;人体上部挡住直射过来的光线,穿过小孔,成影在下边,就成了倒立的影。这是通过小孔成像实验对光的直线传播规律的第一次科学解释(尽管还是定性的,而不是定量的描述)。这里实际上相当于设计了一个实验:在一面隔屏上开一个小孔,人站在隔屏的一侧,并受到光的照射;这时,在隔屏的另一侧就出现一个倒影。

不过,在中国科技史上对光线直进、针孔成像与照度最有研究并最早进行大规模实验者当推宋末元初的学者赵友钦。约在公元 14 世纪初,赵友钦在其著作《革象

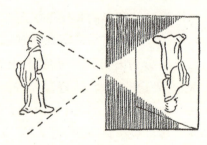

《墨经》中小孔照相匣实验

新书》卷五《小罅光景》中,精心设计了一个相当完备而复杂的光学实验。这个实验大体分五个步骤进行:(1) 改变小孔的大小,比较成像情况;(2) 改变光源强度,做日月蚀模拟实验;(3) 改变像距,观察成像的变化;(4) 改变光源距离,观察小孔成像的变化;(5) 改变孔的大小与形状,做大孔成像实验。每次都固定其他条件,而只改变一个条件。通过实验研

究,赵友钦归纳出小孔成像的规律:"景之远近在窍外,烛之远近在窍内。凡景近窍者狭,景远窍者广;烛远窍者景亦狭,烛近窍者景亦广。景广则淡,景狭则浓。烛虽近而光衰者,景亦淡;烛虽远而光盛者,景亦浓。由是察之,烛也、光也、窍也、景也四者消长胜负皆所当论者也。"赵友钦通过实验实际上已经定性地得出了光学的一个基本规律,即照度随光源的强度增大而增大,随距离的增大而减小。这一光学实验设计合理,步骤清晰,结果可靠,充分说明赵友钦在物理领域内所具有的深邃而先进的科学思维方法。这个光学实验被公认为世界物理史上的独创,享有盛誉。比伽利略的光学实验早二三百年。可惜的是,他的实验精神没有得到发扬光大。因为这些发现都被统治阶级视为"雕虫小技",而不屑一顾。

二

其次,介绍我国古代关于光的反射与镜面成像的研究及其贡献。

在我国,利用反射现象的原理制造平面镜具有悠久的历史。早在三千年以前,我们的祖先就已经会制造和使用铜镜。那么,平面镜为什么能够成像?最早对此作出探讨的当属墨家。

《墨经》讨论并描述了反射现象。写道:"景迎日,说在抟";"景,日之光反烛人,则景在日与人之间。"这就是说,当经过(平面)镜反射后的日光照射人体时,地面上的人影必然在太阳和人体之间。

《墨经》探讨了凹面镜和凸面镜的成像规律,都是在讨论光的反射现象。比如,墨家发现,一个物体放在凹面镜前,当物体置于"中之外"即凹面镜焦点以外时,就得到一个正立、放大的像;反之,当物体置于"中之内"即凹面镜焦点以内时,就得到一个倒立、缩小的像。这里所谓的"中"其实就是近代几何光学中所说的"焦点"。《墨子》中还记载："下者之人也高,高者之人也下,足敝(蔽)下光,故成景(影)于上,首敝(蔽)上光,故成景(影)于下。"这是世界上最早的比较有系统的文献记录,已经达到很高的水平。

至于凸面镜成像情形,就只有一种,即无论物体放在凸面镜前远些,还是近些,都只有一个正立的虚像,只不过远些的像小,而近些的像大。不论大小,像永远比物体本身要小。《墨经》还讨论了水镜的成像。限于篇幅,不再列举。(详见附后的"原典选读"——《墨经》"光学八条")

由于时代的局限,《墨经》对于光的反射问题,不如对光的直线传播的研究那样深入,仅仅描述了各种类型镜面的反射现象,却没有展开讨论反射所遵循的一般规律(如入射角与反射角之间的数量关系),当然也不可能创造出成像的作图方法了。此外,墨家虽然描绘了凹面镜和凸面镜成像的现象,但没有根本解决其焦点的测定问题。

不过,毕竟《墨经》的记载是两千年前的事,因此不必苛求前人。因为古希腊毕达哥拉斯学派及继承该学派传统的欧几里得和托勒密,都曾错误地认为,光是从人的眼睛里发出来的。据李约瑟博士考察,墨家的光学研究著作比希腊人要早,而在这个时期西方对于光学现象的认识还处于蒙昧状态。与此相比,墨子居然能够根据实验观察对上述众多光学现象作出如此详尽的记述,实在是难能可贵啊!真正令人遗憾的却是两千年来,不但很少有人沿着墨子开创的方向继续研究下去,就连《墨经》本身的记述也很少为人所知了!这只能从封建时代的王权主义及其文化专制政策方面寻找原因了。

不过沈括是个例外。墨家没有解决的凹面镜和凸面镜焦距的测定问题,后来由沈括解决了。沈括在《梦溪笔谈》中论及的问题,正是对前人研究的继续和深入。这里以他对凹面镜成像的研究为例。

沈括在《梦溪笔谈》卷三的《阳燧照物》这段笔记中写道:"阳燧照物皆倒,中间有碍故也。"又说:"阳燧面洼,以一指迫而照之则正,渐远则无所见,过此遂倒。其无所见处,正如窗隙、橹桌、腰鼓碍之,本末相格,遂成摇橹之势。故举手则影愈下,下手则影愈上,此其可见。阳燧面洼,向日照之,光皆聚向内。离镜一二寸,光聚为一点,大如麻菽,著物则火发,此则腰鼓最细处也。"

所谓"阳燧",指的是中国古代利用阳光的能量来取火的物件,实际上是一种凹面铜镜。沈括在这里描述了凹面铜镜所产生的奇异的成像现象。他对凹面镜研究的贡献在于:首先,他解释了凹面镜倒立成像的原因,就在于它存在一个"碍"。这个所谓"碍"或者被沈括比喻为"腰鼓最细处"的东西,实际上就是现代光学中所说的凹面镜焦点。而这个点的位置的确定,实际上就等于解决了焦距的测定问题了。其次,他论述了凹面镜所成物像与物体距离的关系。沈括发现,当手指接近凹面镜镜面的时候,可以看到一个正立的物像。手指后移,移动到一定的位置,物像会突然消失,这一处就是阳燧的"碍",即焦点。手指再向后移而超过这个位置以后,则会出现倒立的物像("过此遂倒")。在这一实验中,沈括论证了物体在凹面镜焦点以内、焦点上和焦点以外成像的重要规律。

三

最后,让我们来看我国古代学者对天然色散与光的折射现象的探讨。

　　中国古代学者对光的研究,应当说主要在于几何光学,但是也或多或少地描述了作为天然色散现象的彩虹的生成与观测条件等问题。这实际上已经接近物理光学的边缘。近代物理光学已经确认,光的色散本质上是复色光分解为单色光,色散现象说明光在媒质中的速度或折射率随光的频率而变。

　　虹霓、彩虹或者雨虹,从甲骨文开始就有许多文字记载。在周代前期,我国劳动人民就已经有一条经验:如果早晨太阳升起时西方出现了彩虹,那么天就要下雨了。战国时期的《楚辞》里就记载了虹的颜色为"五色"。我国古代从公元6世纪起对虹就有了比较正确的阐述。唐初的孔颖达(574—648)在《礼记注疏·月令》"虹始见"条中明确指出:"若云薄漏日,日照雨滴则虹生。"表明虹是日光照射雨滴所产生的自然现象,而且他准确地给出了形成虹的三个条件——日照、雨滴、云薄。这是世界上关于彩虹成因的科学解释的最早记载。

　　其后,于8世纪中叶,张志和记录过人工造虹的实验:"雨色映日而为虹","背日喷乎水成虹霓之状"。意思是说,虹的产生是阳光通过水滴的结果;当人们背向太阳喷出小水珠时,就能够观测到类似虹霓的情景。或者说,喷水的方向和太阳光行进的方向相同时,才能看见虹,而面对太阳就看不到彩虹了。从而给出了人们观测虹的条件。

　　北宋时,精通天文历算之学的进士孙思恭(字彦先)提出:"虹,雨中日影也,日照雨即有之。"进一步解释了彩虹生成的原因。孙彦先的发现后来也被与他同时代的沈括在《梦溪笔谈》中引用及证实。沈括在《梦溪笔谈》卷21"彩虹"条中,记载了他于熙宁八年(1075)出使契丹国路过今内蒙古西乌珠穆沁旗境内的永安山时,亲自观察雨后彩虹的情况。他不仅强调了只有在"雨后放晴"("雨霁")时,才能出现彩虹;而且揭示出虹和太阳的位置与方向是相对的。孙彦先和沈括等人对虹的这些发现比西方早了几百年。

这些观察和实验,虽然还没有精确地说明虹之所以产生的光学原理,还没有认识到日光在雨滴中经过两次折射和全反射而产生色散的本质,但是,在当时的条件下,能对虹的生成原因和观测条件有着如此客观的认识,在光学史上具有重要意义,是人类对光的折射和色散认识的一大进步。

14 世纪初,欧洲弗雷堡的提奥多里克根据哲学家罗伯特·格罗塞特的"第三阶段"理论和罗吉尔·培根(1214—1294)关于实验科学的"第一特性"的思想,运用科学实验的方法,成功地解释了虹的生成原因。他把圆形玻璃球注满水,并且把它视为放大的水滴模型,然后把玻璃球置于太阳光下,研究虹的形成机理。后来,牛顿在 1666 年最先利用三棱镜观察到光的色散,把白光分解为彩色光谱。关于彩虹的形成的光学原理才最终具备了完整的解释。

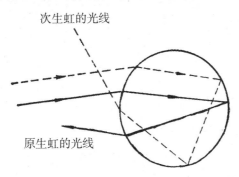

次生虹的光线

原生虹的光线

提奥多里克的模型水滴
(选自《科学哲学历史导论》)

除了对彩虹形成原因和观测条件的研究,我国古代学者还研究了天然晶体的色散现象。比如,南北朝时期有人研究过"君王盐",北宋时期有人研究过"菩萨石"。又如,北宋名儒杨亿(974—1020)在《杨文公谈苑》中记载:"嘉州峨嵋山出菩萨石……日中射之,有五色,如佛顶圆光。"明代学者方以智(1611—1671)在其《物理小识》中也描述了天然晶体,其中包括带棱晶体的色散现象:"凡宝石面凸,则光成一条,有数棱则必有一面五色。如峨嵋放光石六面也……"方以智在这本书中还提出了一种广义的光的波动学说,并试图以此去解释诸如发光、颜色、视觉,以及小孔成像等多种光学现象。

原典选读

关于古代力学思想(引自《考工记·总叙》)

凡察车之道,必自载于地者始也,是故察车自轮始。凡察车之道,欲其朴属而微至。不朴属,无以为完久也;不微至,无以为戚速也。轮已崇,则人不能登也;轮已庳,则于马终古登阤也。故兵车之轮六尺有六寸,田车之轮六尺有三寸,乘车之轮六尺有六寸。六尺有六寸之轮,轵崇三尺有三寸也。加轸与轐焉,四尺也。人长八尺,登下以为节。

关于古代声学思想(引自《论衡》卷四《变虚篇》)

人坐楼台之上,察地之蝼蚁,尚不见其体,安能闻其声。何则?蝼蚁之体细,不若人形大,声音孔气不能达也。今天之崇高非直楼台,人体比于天,非若蝼蚁于人也。谓天非若蝼蚁于人也。谓天闻人言,随善恶为吉凶,误矣。四夷入诸夏,因译而通。同形均气,语不相晓,虽五帝三王不能去译独晓四夷,况天与人异体,音与人殊乎!人不晓天所为,天安能知人所行?使天体乎,耳高不能闻人言。使天气乎,气若云烟,安能听人辞!说灾变之家曰:"人在天地之间,犹鱼在水中矣。其能以行动天地,犹鱼鼓而振水也。鱼动而水荡气变。"此非实事也。假使真然,不能至天。鱼长一尺,动于水中,振旁侧之水,不过数尺,大若不过与人同,所振荡者不过百步,而一里之外淡然澄静,离之远也。

关于古代光学思想(引自《经下》及《经说下》)

《墨经》"光学八条"。

1.《经下》原文:景不徙,说在改为。

《经说下》原文:景,光至,景亡,若在,尽古息。

2.《经下》原文:景二,说在重。

《经说下》原文:景,二光夹一光,一光者景也。

3.《经下》原文:景迎日,说在抟。

《经说下》原文:景,日之光反烛人,则景在日与人之间。

4.《经下》原文:景之小大,说在地正远近。

《经说下》原文:景,木柂,景短大。木正,景长小。大小于木,则景大于木,非独小也,远近。

5.《经下》原文:景到,在午有端与景长,说在端。

《经说下》原文:景,光之人煦若射。下者之人也高,高者之人也下。足敝下光,故成景于上;首敝上光,故成景于下。在远近有端与于光,故景库内也。

6.《经下》原文:临鉴而立,景到,多而若少,说在寡区。

《经说下》原文:(临)正鉴,景寡,貌能(态)、白黑,远近柂正,异(映)于光。鉴(者)、景当俱就,远近去仐(亦)当俱,俱用北(背)。鉴者之臭(糗),于鉴无所不鉴;景之臭(糗)无数,而必过正。故同体处其体俱,然鉴分。

7.《经下》原文:鉴洼,景一小而易,一大而正。说在中之外、内。

《经说下》原文:(鉴)分鉴:中之内,鉴者近中,则所鉴大,景亦大;远中,则所鉴小,景亦小而必正:起于中缘(燧)正而长其直也。中之外,鉴者近中,则所鉴大,景亦大;远中,则所鉴小,景亦小,而必易:合于中而长其直也。

8.《经下》原文:鉴团景一。

《经说下》原文:(鉴)鉴者近,则所鉴大,景亦大;亦(其)远,所鉴小,景亦小;而必正。景过正,故(顾)招(昭)。

中国古代的工艺与技术

　　与西方抽象自然科学理论的相对发达相比,我国古代以技术文明而名扬世界。中国的传统工艺技术,诸如丝绸、纺织、陶瓷、造纸术、印刷术等工艺技术发明对中国乃至整个世界文明的发展都作出了杰出贡献,并影响深远。此外,我国古代的相关工艺技术著作,也为人类技术文明保留了大量丰富多彩的宝贵资料,大大促进了世界文明的进步。在本部分,我们将集中梳理中国古代工艺技术成就的发展情况及其对整个世界文明产生的深远影响。

四大发明

　　中国古代的四大发明是中华民族对世界文明作出的标志性贡献。一提到这些伟大发明的意义，我们耳熟能详的便是马克思的那段名言：中国的火药、指南针和印刷术——这是预告现代资产阶级社会到来的三大发明。其中，火药把骑士阶层炸得粉碎，指南针则打开了世界市场并建立起了殖民地，而印刷术则变成了新教的工具，总的来说变成了科学复兴的手段，变成对精神发展创造必要前提的最强大的杠杆。弗兰西斯·培根则在《新工具》中列出了中国古代的火药、印刷术和指南针的世界性影响，他认为这是古代中国为世界文明发展作出重大贡献的技术发明。而当代著名科学史家李约瑟又把造纸术与其他几项培根所列的发明并列，他认为这同样是中国最伟大的技术发明。

一

造纸术在人类文明的发展史上占有重要地位,正是由于便捷的纸张的发明,使得书籍和阅读普及化,从而推动了整个人类文明的进步。在人类社会发展的早期,人与人之间的交流一直受到中间媒介条件的限制。人们最初只能口口相传,之后又通过结绳来记事,但这些交流方式很不方便,极大地妨碍了人们之间的顺畅交流。自人类社会进入文明社会以来,文字逐渐成为人们交流沟通的主要渠道,但书写工具的缺乏和书写材料的昂贵又成为新的问题。人们曾经尝试过在各种材料上面书写或雕刻文字,例如历史上著名的甲骨文,就是雕刻在龟甲或兽骨上的早期文字。而随着社会的发展,文字又不断出现在陶器、青铜器、石器、玉器甚至丝帛等器物和材料上。这也成为我们现在了解古代社会的主要文献来源。

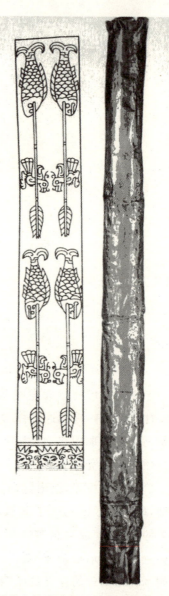

三星堆金杖(摄自四川三星堆博物馆)

例如我们将在后面讲到的周代的毛公鼎,其上就刻有近五百个文字,这是现今不可多得的研究周代社会的重要文献。春秋时期,较为轻便的竹简又逐渐成为流行的书写材料,这种相对便宜而又易于书写的竹片成为在纸张发明之前我国最重要的书写工具。据《史记》记载,秦始皇平日勤于政务,他每天批阅的文书和奏章就有几十千克重。而到了汉朝,据说有一次,东方朔给汉武帝写的一个奏折就用掉了三千片竹简,我们可以想象,秦始皇和汉武帝在批阅这些奏折时要多么费时费力,而东方朔等人书写奏章更是一件多么艰苦的工作。这种书写不便的状况严重影响了文化的传播与发展。

造纸(选自《中国:发明与发现的国度》)

回顾以上这些书写的历史,就可以更清楚地认识纸张发明的重大意义。关于造纸术的具体发明时间和人物,一般比较公认的说法是,造纸术是东汉蔡伦最早发明的。这在《后汉书》中有明确记载:"伦乃造意,用树肤、麻头及敝布鱼网以为纸。"蔡伦所制造的纸被称为"蔡侯纸"。但随着新的考古发现,也有许多学者认为,造纸术是在西汉甚至更早时期发明的。因为从 20 世纪开始,人们不断在全国各地(如新疆、陕西和甘肃等地)发现新的西汉麻纸。于是,许多学者认为这些考古发现动摇了蔡伦发明造纸术的传统观点,并进一步认为蔡伦可能只是造纸术的改造者。看来,纸张的发明可能早在蔡伦之前,这里不具体讨论这些争论。但可以肯定的是在东汉以后,造纸术飞速发展起来,纸张很快成为较为常用的书写材料,并取代了原先笨重的竹简。

汉朝以后,随着造纸的工艺技术不断成熟和完善,人们又逐渐将其他一些原材料,诸如桑皮、秸秆、竹子、藤皮等作为原料来改进造纸技术。特别是到了唐代,工匠们在实践中不断总结出把矾、胶等物质加入原料中,以增强纸张韧性的方法。在这些技术改进的实践过程中,我国的造纸术日益发展,工艺也日见精进,纸张品种繁多而质量优良。比如唐宋时期的宣纸、硬黄纸、砑花纸、蜀纸等都很有名。

明清时期的造纸技术进一步发展,以宣德笺、撒金纸、宣纸等种类最有代表性,这标志着造纸技术达到一个新的高峰。与此同时,关于造纸术的相关著作也时有出现,比较有名的包括宋代的《纸谱》和明代的《楮书》等。另外,在《齐民要术》《天工开物》等著作中也专门记录了当时的造纸技术情况。

造纸术历经一千多年后,传播到了阿拉伯和欧洲。其中,唐朝是造纸术对外传播的重要时期。一般认为,在公元 8 世纪的中期,在唐军与阿拉伯军队的战争中,一部分懂得造纸术的士兵被俘虏,阿拉伯人有机会从中了解到造纸术的信息。他们利用这些被俘的唐朝工匠及其娴熟的技术,在阿拉伯世界的许多地方建立了造纸厂。

随着阿拉伯世界与欧洲的交往,造纸术又传入欧洲。在此之前,欧洲人的文化传播和交流也受困于书写材料的限制。比如在欧洲中世纪时期,文字要写在羊皮上,抄写一部《圣经》就要用掉成百上千张羊皮。如此昂贵的成本和原料消耗,极大地阻碍了欧洲文化事业的发展。便捷而又便宜纸张的传入,为欧洲文化的发展带来了一场革命。一位叫罗伯特的学者这样评价说,如果没有中国的造纸术(以及印刷术)传入欧洲,欧洲人仍旧使用昂贵的羊皮书等手抄本,那么西方文化的传播与发展很难达到现在的水平。

二

确定和辨别方位问题历来是人类社会生活和生产中的大事。特别是在远古时期,人类的生活范围受到地理环境和自然条件的限制。那时,太阳、月亮、北极星等天体就成为人们辨别方向的重要参照物。但在天气状况恶劣的情况下,这些常规方法往往难以奏效,例如在大雾中行进时如何辨别方位就存在很大困难。

在我国古代典籍记载中,人们较早用于辨别方位的工具是"指南车"。据传说,黄帝在和南方的蚩尤军队作战时,就依靠"指南车"的指引穿过了茫茫大雾的草原,并且打败了蚩尤。之后,"司南"又成为一种辨别方向的设备,关于这一设备的历史记载最早见于韩非子的论述:"立司南以端朝夕。"当然,关于何谓"司南"以及"司南"的制作方法等相关内容,至今仍存在争议;但可以明确的是,在我国春秋时代的早期,在一些著作中已

指南车(选自《中国:发明与发现的国度》)

经开始有了关于磁石属性的具体记载，人们很快注意到了磁石在辨别方向方面的重要作用。中国人最早将这一发现用到了辨别方向上，这就是早期的指南针。

在曾公亮主编的《武经总要》中，详尽记录了关于制造指南鱼的方法："用薄铁叶剪裁，长二寸，阔五分，首尾锐如鱼型，置炭火中烧之，候通赤，以铁钤钤鱼首出火，以尾正对子位，蘸水盆中，没尾数分则止，以密器收之。用时，置水碗于无风处平放，鱼在水面，令浮，其首常向午也。"这说明在此之前，人们已经能够熟练利用磁石指南的属性了，而且掌握了如何制造人工磁铁的技术。之后，人们又发明了更加简单而又灵敏的磁针即指南针用于辨别方位。沈括在《梦溪笔谈》中记述了指南针的多种使用方法，其中包括"水浮法""碗唇旋定法""指甲旋定法"和"缕悬法"等。当然，在很长的时间里，指南针也被风水师用于堪舆的罗盘中。像近代磁学表明的那样，沈括也认为磁针指南只是一个笼统的说法，实际上存在一定的偏差，即磁偏角。但在当时磁针已经足以帮助人们辨别方向了。

应用于航海的罗盘，在12世纪前的中国就已经出现了。例如，在宋代著作《梦粱录》和《萍洲可谈》等著作中有明确的相关记载，船只在茫茫大

《武经总要》

海中航行可以"凭针盘而行","观指南针"而辨别方向。正是有了罗盘指引方向,中国的船只少有迷失航向的情况,以至于当时各国的商人都乐于乘坐中国人的商船。在这种情况下,指南针技术也随之传往海外。到了元朝时期,指南针和罗盘已经成了船只海上航行必备的装置。尤其是对于近代西方来说,近代欧洲历史上的地理大发现得以展开的一个重要前提就是指南针在航海中的使用。

三

印刷术是与造纸术的发展密切相关的,如果没有便捷而成本低廉的纸张出现,印刷术也是难以发展起来的。人类社会早期的文字往往是雕刻在金、石等材料上的,在造纸术发明之后,轻便的纸张为人类的书写和书籍的出版带来了一场革命。但早期的手工书写的速度又成为一个新问题。特别是在书籍的书写和传播问题上,大量的工作都要依靠人的手来抄写。人们开始认识到这种手工抄写方法耗时费力,已经成为阻碍文化发展的棘手难题。受到传统印章、拓印等的影响,人们逐渐意识到,书籍可以像拓印碑刻一样从某一个类似的模子里反复印制,这样就可以极大地加快书籍的印刷速度。在这种背景下,最早的雕版印刷术出现了。至于雕版印刷术出现的时间问题,学界还存在很大争议,诸如汉代起源说、南北朝起源说,等等。这里只介绍一些相对没有争议的考古成果。

一般认为,《女则》是中国典籍中有记载以来的最早雕版印刷品,而我们现在能够见到的较早印刷品还包括:约公元690—699年的《妙法莲华经》、公元868年的《金刚经》和唐初的《无垢净光大陀罗尼经》等。其中,《妙法莲华经》是1906年在新疆出土的,现藏于日本;《金刚经》是1900年考古学家在我国甘肃莫高窟发现的,文尾注有"咸通九年"字样;而《无垢净光大陀罗尼经》则是 1966 年在韩国发现的,据考证出版时间大约是在武则天时代。相对于以往书籍的手工抄写,雕版印刷术极大地提高了书籍印刷的速度,对文化的普及和传播具有重大意义。在我国的唐代以后,雕版印刷术得到了飞速发展,并逐渐形成了较为系统和完善的官刻、坊刻和家刻等多种印刷书籍的方式。书籍的印刷中心也陆续出现,如长安、成都、开封等地的印刷业都很发达,由此极大地推动了古代文化的发展。

宋代是我国古代印刷术发展的高峰时期。随着北宋时期社会走向安定,经济得到了恢复和发展,社会文化事业也受到了朝野的重视。雕版印刷术在这一时期又有了新的发展。宋代的政府历来重视书籍的出版,在这种风气的带动下,私人刻书也很流行,印书质量也越来越高。到了南宋时期,雕版印刷术已经完全成熟,当时的书籍印刷精美,质量上乘,宋代也由此成为我国古代历史上印刷业发展的一个顶峰时期。时至今日,宋版的古代书籍,依然是收藏界书籍收藏的首选。

雕版印刷术极大地推动了我国古代文化的发展,但这种雕版印刷技术也存在一定的问题。这主要是雕版印刷的成本相对还是很高,书籍的每一页都要刻在一块完好的版面上,一本书就需要大批上好的雕版材料,而这些雕版的刻制还需要大量的人力、物力。不仅如此,刻好之后,如果发现有错误的地方,就更加麻烦,整个版本都需要重新雕刻;即使雕刻的版面没有毛病,刻板的保存也是一个问题。这些问题,使得人们不得不继续探索新的印刷技术,正是在这种背景下,活字印刷术应运而生。

宋代的毕昇首次发明了一种新的不同于雕版的活字印

刷术。与雕版印刷不同,毕昇先是用胶泥刻出一个个单独的字模,排版时再将每一个字模按照书籍的内容安放在同一块模板中进行印刷,然后再依次印刷每一页。这样,相对于雕版印刷,就省去了每一版需要单独刻字的麻烦,只需要把字模重新摆放即可。活字印刷术的发明进一步提高了印刷的效率,这是印刷史上的又一次革命。到了元代,活字印刷术有了新的发展,木活字和锡活字等相继出现(但据潘吉星教授考证,北宋时期金属印刷术就已经出现),这些技术逐渐克服了毕昇印刷术存在的问题。而明代又出现了铅活字和铜活字,活字印刷的质量得到极大提高。明清时期的印刷工艺已经相当复杂,工艺精良,印刷的书籍文字清晰,配图精美,反映了我国古代印刷事业的高超水平。

中国的雕版印刷术和活字印刷术对世界文化的发展起到了重要的推动作用。大约在 8 世纪,雕版印刷术开始传入日本,之后又传入了朝鲜、越南、中东地区以及欧洲。李约瑟经过长期研究认为,在 12 世纪之后,中国雕版印刷术逐渐传入欧洲,我们至今还能够看到欧洲木版书籍中残留的中国印刷术的影子。而欧洲本土的印刷术直到 1450 年才出现,德国的一位发明家约翰·古腾堡发明了铅活字印刷术。鉴于学界观点的不统一,这里不再讨论中国活字印刷术对欧洲印刷术的影响及其程度等问题。但有一点是明确的,即中国的活字印刷术早于欧洲,并在欧洲本土发明活字印刷之前就已传入了欧洲。

四

中国古代火药的发明是和炼丹术士们炼制丹药的活动密不可分的。古代的许多方士在炼制丹药的过程中发现,如果把一定比例的硝石、木炭和硫粉混合在一起,就会发生燃烧甚至爆炸现象,这是火药发明的主要背景。早在唐代孙思邈等人的著作中就有了关于火药制造的记载,之后的《太上圣祖金丹秘诀》中,又有了对火药及其制造的进一步探索,其中涉及炼丹术士们将传统的"伏硫磺法"发展为"伏火矾法"。可以说,经过炼丹术经验的长期积累,人们在不断改进和摸索过程中,终于在唐朝末期发明了黑火药。

在火药配方发明之后,人们很快将火药应用到了军事方面。北宋时期的军队已经开始使用火箭、火蒺藜等武器。在《武经总要》中,曾公亮等人收录了火药制造的多种方法,可见,当时人们已经相当熟练地掌握了火药配置的方法和技巧。南宋以后,人们又发明了火枪以及火炮等新型火器作为武器,火药在军事领域得到了进一步的应用,威力也日益巨大。到了元代,黑火药的制造技术进一步成熟,加之蒙古军队因战争需要,又出现了新式武器火铳等。火器不仅成为蒙古军队进攻的利器,而且火药伴随蒙古军队横扫欧洲。随着火药武器的使用,该项技术很快就传播到阿拉伯世界,以至于阿拉伯世界一直把火药的重要成分硝称为"中国雪",而火箭和火枪也很快被阿拉伯世界使用,随之传播到欧洲等世界各地。

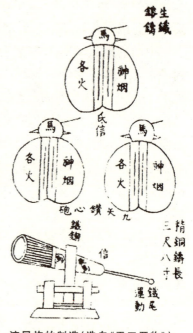

流星炮的制造(选自《天工开物》)

火药武器在明代仍有很大的发展,火器的加工和生产工艺已经相当完善,特别是对硝石、木炭和硫粉进行选取和提炼的工艺非常发达,火器的质量大幅提高,火药武器的威力也更加强大。当时最重要的火器是"火箭",而且这相对于宋朝时期来说是属于多级的"火箭",威力也强大得多,使用这种武器的军队被称为"神机营"。但是在明清时期,我国的火药制造技术开始走向了下坡路,欧洲列强在火药研制技术方面已经逐渐领先。尽管如此,中国火药对世界文明发展所作出的贡献,是永载史册的。

工艺技术

自古以来,我国古代的工艺技术成就便名扬天下。这些工艺技术为人们的现实生活提供了坚实耐用的生活用品,又为人们的审美生活增添了情趣。在这些辉煌灿烂的工艺技术中,陶瓷、纺织、青铜器和建筑等都是我国古代杰出工艺成就的典范。

一

一说到中国古代的工艺技术成就,我们就不得不提及陶瓷器,特别是瓷器。众所周知,china 一词的意义就是瓷器,它成为瓷器和中国一语双关的代名词。由此可见这一工艺成就在我国文化中的地位及其世界影响,它是中华文明对世界文明所作出的又一个重大贡献。

从考古学的现有发现来看,早在我国的新石器时代,我们的祖先就已经能够制造和使用陶器,这表明古代文明的一大进步。在我国数十处已经发掘的文化遗址中,都发现有大量陶器制品出土,说明我国原始社会的制陶业已经具有相当的规模。当时的陶器主要为白陶以及后来出现的印文硬陶。不仅如此,人们还在制陶的过程中发现能够在高温下烧制出带有色釉的陶瓷。夏商之后,陶瓷业又有了重大发展,例如20 世纪 50 年代在河南郑州考古出土的釉陶,这些陶器表面清洁光滑,色彩光亮,显示出当时我国陶瓷业已经有了长足的发展。从春秋战国到汉代初期,陶器的制造、应用范围及陶器的种类有了一定的变化和发展。当时的陶器以灰陶为主,同时其他种类的陶器也开始出现,比较有特色的包括暗纹陶、印文陶,以及后来出现的彩绘陶器。

真正意义上的瓷器即青瓷,出现在东汉时期。这标志着自商代以来的"原始瓷"至汉代终于发展成熟。东汉时期的瓷器制造工艺已经基本成型,而且工匠们经过长期的实践,在较低温度下烧制成了新的色釉。这一时期的瓷器工艺精细,光洁细密,达到了有史以来制瓷的最高水平。同时,工艺相对简捷的黑瓷开始出现,瓷器的制造和使用范围不断扩大。

魏晋南北朝时期也是中国陶瓷业发展的一个重要时期。瓷器制造在经历了汉代的初步发展之后,制瓷工匠们积累了丰富的实践经验,他们在瓷器原料的选取、加工程序、烧炼工艺、瓷器的造型、装饰设计、施釉工艺程序等诸方面都有了长足的进步。由于战乱等,南方成为制瓷的中心,当时越窑瓷器最为有名。北方由于处于战乱之中,陶瓷技术进步缓慢,直到北魏时期陶瓷技

瓷器窑(选自《天工开物》)

术才逐步发展起来;在这一时期白瓷也开始出现了。

隋唐时期,随着社会趋于安定,南北制瓷业并驾齐驱地迅猛发展起来,大江南北的工匠们在相互交流中分别吸收了北方白瓷和南方青瓷的特点，制瓷水平有了新的飞跃。当时，北方的邢窑与南方的越窑遥相呼应，呈现南北贯通发展的局面。在这一时期，瓷器的烧造、加工、生产等各个环节的工艺技术日臻成熟，器物类型繁多，品质精良。同时，在制造工艺方面开始出现彩绘陶。河南出土的唐三彩是这一时期陶瓷工艺的典型代表，它因具有绿、褐、黄三色而得名。

五代十国时期继承了唐代以来的制瓷模式，越窑和耀州窑生产的瓷器闻名天下。宋朝时期是我国古代瓷器发展的黄金时期。随着当时社会的稳定，经济的繁荣，陶瓷业也发展到一个新的巅峰时期。这一时期瓷器生产的地区和使用的范围都大为扩展，官窑和民窑生产的瓷器质量都属上乘，制瓷技术前所未有地发展起来。当时在《饮流斋说瓷》等著作中都有柴、汝、官、哥、定"五大名窑"之说，但鉴于其中的柴窑并无确切的窑址和实物，所以，我国技术史界一般把钧、定、哥、汝、官列为五大名窑。

在元代，青花瓷工艺越来越成熟，而景德镇逐渐发展成为全国的瓷业中心。明代时景德镇的制瓷工艺进一步得到发展，特别是青花瓷生产已经成为这个时期制瓷业的主流；在釉料方面品种繁多，不仅有国产的青料如"回青"，更有郑和下西洋带回的"苏麻离青"等。特别是在明代宣德年间，以景德镇为代表的中国古代制瓷业达到一个辉煌时期，无论是青花、宝石红还是釉里红瓷器，都是难得的精品。另外，在明代宣德和成化年间，由江西景德镇

明代瓷瓶

烧制的斗彩瓷器也逐渐成为明代瓷器制造达到辉煌时期的见证之一,可以说彩瓷的烧制成功是我国古代陶瓷工艺发展史上取得的一项重大成就。所谓"斗彩"(逗彩),就是将釉下青花和釉上五彩两种技艺方法相结合,工匠们在烧制过程中同时使用这两种色彩技法,即在同一件瓷器的表面上,装饰了釉下青花和釉上五彩这两种色彩,通过这种修饰方法,形成了青花与五彩的新的有机融合,实现了釉下青花和釉上五彩相互争奇斗艳的艺术效果。简而言之,斗彩是明代以来形成的一种陶瓷艺术形式,它为我国后来彩瓷的发展开辟了新的艺术加工形式。我国古代的瓷器生产在世界范围内产生了重大影响,它远销海外,早在罗马时代就成为欧洲贵族争相购买和炫耀的奢侈品。

清代在康、雍、乾时期,制瓷业的发展又达到了一个新的高峰,在清朝朝廷的大力倡导下,陶瓷工艺技术发达,制作精良。以景德镇为代表的官窑瓷器,以及众多的民窑都生产出了大批的瓷器精品,其中比较典型的包括康熙时期的五彩、古彩、珐琅彩等,雍正时期的粉彩和乾隆时期的珐琅瓷等。这些陶瓷器都是我国古代不可多得的艺术精品。

时至今日,中国古代陶瓷器已经不仅仅是一件件单一的艺术作品,它更是传统中华文明辉煌遗产的一部分。

二

我国古代技术成就的辉煌还体现在丝绸纺织和青铜器制造等诸多方面,鉴于内容的繁多,我们这里只作简要介绍。

中国自古以来就是丝绸之国。我国古代劳动人民在长期的生产劳动过程中,很早就学会了养蚕和抽丝,并织出了精美的丝绸制品。据传说,黄帝的妻子嫘祖是最早养蚕织绸的人(现在一般认为,我国早在五六千年前的新石器时代,就已经初步掌握了养蚕织丝的技术)。大约从汉朝开始,丝绸产品就已远销欧洲,丝绸的纺织、花色、品种和质量都达到了前所未有的水平。特别是在张骞出使西域的过程中,又逐步开通了一条通往西方的"丝绸之路",从此,轻柔华贵的丝织品源源不断地运往西方各地,丝绸成为当时罗马权贵们最时髦的衣料,其价格远超黄金。正因如此,罗马人甚至为了争夺丝绸进口的控制权还与波斯进行了长年的战争,史称"丝绸之战"。在历史上"丝绸之路"已经成为中华文明的一大象征;2014 年我国与哈萨克斯坦、吉尔吉斯斯坦共同申报的"丝绸之路:长安-天山廊道的路网"正式列入"世界遗产名录"。

车坊(选自《天工开物》)

　　汉朝以来,丝绸的纺织生产几乎遍布全国各地,生产规模不断扩大,纺织机也不断推陈出新,丝绸工艺水平不断提高。在这种情况下,丝绸种类日益繁多,有十几类之多,比较重要的包括绢、锦、绮等。其中,以锦最为出名,全国有"四大名锦"之说,这包括:(1) 产于南京的云锦。自宋代开始闻名天下,元朝以后为皇家贡品。(2) 四川的蜀锦。蜀锦的历史悠久,据说蜀汉诸葛亮就特别重视蜀锦的生产,蜀锦在与吴、魏的贸易中占有重要地位,而成都被冠以"锦官城"的称号,并留有杜甫的诗篇名句"晓看红湿处,花重锦官城"。(3) 宋锦,因宋朝时期朝廷主持生产而得名,其实早在隋代就已生产,主要集中在浙江地区。(4)壮锦,宋代以来壮族生活地区的丝织产品。在隋朝时期,丝绸产地南移,湖州、杭州、苏州、四川的成都和南充等地都是著名的丝绸之乡。尤其是进入唐朝以后,丝绸业发展到高峰时期,丝绸的生产、工艺、品种、质量和销售都达到了空前规模。当时不仅有陆上的丝绸之路,还开辟了海上的丝绸之路。元、明、清时期,丝绸业仍有很大的发展,特别是海外贸易繁盛,丝绸产品行销世界各地,丝绸文化誉满全球。

　　中国丝绸业的发展,不仅仅是一个纺织技术或商业经济问题,它作为一整套文化,构成了中华文化的重要组成部分。"丝绸之路"不仅是商业贸易之路,更是一条中外文化、科学技术的交流之路。丝绸之路的开拓促进了我国农业和经济的发展,而且全面带动了我国航海业、造船业等相关行业的发展。特别是我国古代造船业的发展,正是在对外交往过程中实现的,宋、明时期的工匠们已经能够制造巨大的安全可靠的船只,船只载重量达到数千吨之重。最著名的船只莫过于郑和下西洋所乘的"宝船",这些航行于浩瀚大海上的巨舟,长度有一百多米,数层楼高,仅船锚的重量就有上千斤。这是中国造船技术的一个辉煌成就。

　　青铜器在我国古代技术成就中占有重要地位。中国古代的青铜器制造历史悠久,如果从目前所知最早的在甘肃出土的青铜刀开始计算,青铜器制造技术的历史也已超过了五千年之久。总的来看,夏、商、周时代是我国青铜器发展的黄金时期。这时的青铜器多为礼器,主要用于祭祀等重大场合,当然也有一些实用的日常生活器皿和武器等。特别是在商周时期,青铜器的冶炼和制造技术日趋成熟,青铜器的种类也逐渐繁多,器型复杂多变,装饰也趋于精巧。从目前的考古发现看,夏商以来至春秋战国的青铜器多达数万件,知名的青铜器物包括毛公鼎、四羊方尊、鸮尊、司（后）母戊大方鼎，等等。这些青铜器皿造型古朴大方，铸造技术精湛，体现了我国古代传统青铜冶炼技术的重大价值。

　　毛公鼎是清道光末年出土于陕西岐山的重要西周青铜器，现藏于台湾"故宫博物院"。这件器物为圆口双耳铜鼎，外壁雕有古朴纹饰，高度超过了 50 厘米，宽近 48 厘米，重达 34.5 千克。这件器物最难能可贵的地方是其刻在内壁上的铭文，共有 497 字之多，这是迄今为止发现存有最多铭文的铜器，这些铭文具有重大的考古学价值。

　　司母戊大方鼎（也称"后母戊大方鼎"）则是我国出土的商代最著名的代表性青铜器精品，也是世界上最重和最大的青铜器（重量达 832.82 千克），被称为"镇国之宝"。这一方鼎于 1939 年在河南安阳出土，现收藏于中国国家博物馆。司母戊大方鼎整体呈方形，高为 133 厘米，跨度为 112 厘米，鼎口的宽度为79.2厘米，方形鼎的四周和鼎耳、鼎足上为兽面纹。在铜鼎内部铸有"司母戊"字样，可见是商王用来祭祀其母"戊"的礼器，所以方鼎被称为"司母戊大方鼎"。此外，同一时期的四羊方尊等青铜器也是不可多得的青铜重器，但限于篇幅不再一一介绍。这些造型优美、独具匠心的器皿向世人展示了我国古代青铜铸造技术的辉煌成就，有些青铜器达到了技术性和艺术性的完美统一。

　　中国古代建筑艺术也是世界建筑史上的辉煌篇章，体现了我国古代建筑技术的杰出成就。总的来看，我国古代建筑是一项涉及多种复杂因素的综合技术甚或综合工程，具体牵涉人文、美学、工程技术甚至政治等诸多方面的内容。在建筑的选址、类型等方面都要讲究天人合一，合于风水数术，符合政治的等级地位。例如皇家宫殿的建筑，不但要威严肃穆，高大宏伟，而且还要精心选址，处处体现皇权的至高无上;并且还必须讲究中轴对称,布局合理而工整;等等。北京故宫即明清两朝的皇宫,是迄今为止面积最大的宫殿群。它长为 960 米,宽约 750 米,包括太和殿、中和殿、保和殿等共900 多座建筑,建筑物所占面积大约为 15 万平方米。

除了宫殿以及皇家陵墓,其他的建筑形式,诸如寺院、园林,也都极为讲究人与自然在建筑中的和谐与秩序,以及建筑材料、房屋结构、装饰设计、比例关系和与周围环境之间的协调。

恒山悬空寺

古代建筑中所体现的科学思想,特别是力学思想,也值得我们关注。我国古代建筑多有立柱和横梁,这样才能使得房屋坚固,我国建筑的框架式技术在这方面取得了很高的成就。尤其是古代建筑多以砖瓦和木料作为建筑的主体材料,相对于现代的水泥等建筑材料来说,对建筑技术的要求更高,这些历经千年的伟大建筑能够保留至今,显示了古代劳动人民的杰出智慧。例如天津蓟县的独乐寺,据梁思成考证,这是隋代的建筑,后来在公元 984 年左右重修过一次,而后基本保留原貌至今。

石料建筑在我国古代建筑史上同样占有重要地位。比较著名的是隋开皇大业年间(581—618)建造的安济桥(也称赵州桥),这座由李春设计的石拱桥已经屹立于洨河之上

1400 多年了。安济桥是世界桥梁史上的一个奇迹,长 50.82 米,跨径37.02米,桥面宽约 10 米,整个桥梁结构坚固合理,在桥拱圈两肩各设有两个跨度不等的敞肩拱,这比实肩拱显得更加空灵秀丽,既减轻桥身自重又便于排洪。像这样的敞肩拱桥,欧洲到 19 世纪中期才出现。这是我国古代石料建筑的杰出代表。还有一个事例可以说明赵州桥设计和建筑的奇迹,1966 年 3 月邢台发生了一次 7.6 级的地震,而处于赵县的赵州桥仅距地震的震中 40 千米,但在这次地震中赵州桥竟没有受到任何损坏,可见这座建筑设计的合理和坚固程度。

秦始皇兵马俑

我国古代还遗留下来其他很多伟大建筑,如颐和园、天坛、长城、孔府孔庙、明十三陵、正定兴隆寺、苏州园林、秦始皇兵马俑、少林寺、灵隐寺、大雁塔、恒山悬空寺等,这些都是我国建筑史上的瑰宝。其中,北京附近的八达岭长城是另一处举世闻名的古代建筑。这是明代万里长城的一部分,它犹如一条长龙蜿蜒盘旋在起伏不定的群山之中,是古代重要的军事工程,体现了古代劳动人民的杰出建筑才能和智慧。

原典选读

关于活版印刷术的记录（引自《梦溪笔谈》）

板印书籍，唐人尚未盛为之，自冯瀛王始印五经已后，典籍皆为板本。庆历中，有布衣毕昇又为活板。其法，用胶泥刻字，薄如钱唇，每字为一印，火烧令坚。先设一铁板，其上以松脂、腊和纸灰之类冒之，欲印则以一铁范置铁板上，乃密布字印。满铁范为一板，持就火炀之，药稍熔，则以一平板按其面，则字平如砥。若止印三二本，未为简易；若印数十百千本，则极为神速。常作二铁板，一板印刷，一板已自布字，此印者才毕，则第二板已具，更互用之，瞬息可就。每一字皆有数印，如"之""也"等字，每字有二十余印，以备一板内有重复者。不用则以纸贴之，每韵为一贴，木格贮之。有奇字素无备者，旋刻之，以草火烧，瞬息可成。不以木为之者，木理有疏密，沾水则高下不平，兼与药相粘不可取。不若燔土，用讫，再火令药熔，以手拂之，其印自落，殊不沾污。昇死，其印为予群从所得，至今保藏。

关于景德镇瓷器（引自《天工开物》）

若夫中华四裔驰名猎取者，皆饶郡浮梁景德镇之产也。此镇从古及今为烧器地，然不产白土。土出婺源、祁门二山。一名高梁山，出粳米土，其性坚硬。一名开化山，出糯米土，其性嵘软。两土和合，瓷器方成。其土作成方块，小舟运至镇。造器者将两土等分入臼舂一日，然后入缸水澄。其上浮者为细料，倾跌过一缸。其下沉底者为粗料。细料缸中再取上浮者，倾过为最细料，沉底者为中料。既澄之后，以砖砌长方塘，逼靠火窑，以借火力。倾所澄之泥于中吸干，然后重用清水调和造坯。

关于指南针的记录（引自《梦溪笔谈》）

方家以磁石磨针锋，则能指南，然常微偏东，不全南也。水浮多荡摇；指爪及碗唇上皆可为之，运转尤速，但坚滑易坠；不若缕悬为最善。其法，取新纩中独茧缕，以芥子许蜡缀于针腰，无风处悬之，则针常指南。其中有磨而指北者，予家指南北者皆有之。磁石之指南，犹柏之指西，莫可原其理。

关于湖州的丝绵（引自《天工开物》）

湖绵独白净清化者，总缘手法之妙。上弓之时惟取快捷，带水扩开。若稍缓水流去，则结块不尽解，而色不纯白矣。其治丝余者名锅底绵，装绵衣、衾内以御重寒，谓之挟纩。凡取绵人工，难于取丝八倍，竟日只得四两余。用此绵坠打线织湖绸者，价颇重。以绵线登花机者名曰花绵，价尤重。

古代工艺典籍与传统技术思想

上一部分,我们主要介绍了中国古代工艺技术的具体发展情况。本部分我们将从另一个角度,即从中国古代工艺、技术的典籍著作入手,来进一步了解古代技术发展的全貌,这也是当代人研究我国古代科技发展的重要视角之一。鉴于我国古代与工艺、技术相关的著作浩如烟海,不可胜数,我们只选择其中最有代表性的几部典籍以飨读者,以从理论层面加深对传统技术思想的把握。

先秦技术史的力作——《考工记》

我国著名科学史家钱宝琮先生曾经指出:"研究吾国技术史,应该上抓《考工记》,下抓《天工开物》。"《考工记》是记载中国古代早期技术成就的重要文献,是了解秦代以前技术发展情况的关键论著之一;约成书于春秋战国时期,其内容丰富甚至可以被称为"先秦时期的百科全书",它几乎汇集了当时手工设计和工艺制作等方面的所有重要内容,具体包括兵器、车辆、乐器、皮革、工程水利等诸多方面的手工业技术知识内容。这部著作对于研究我国先秦时期科学技术发展情况具有重要的学术价值。

在先秦时期,我国的科学技术已经有了比较迅速的发展,特别是手工业生产,日趋精细化和专业化,工艺技术达到了较高的水平。根据《考工记》的记述,当时仅齐国的"百工"

（即各种手工技术工匠）的专业分工就已经极为细化了。具体来说，百工"饬五材"（木、金、玉、土、皮），共分为六大技艺门类（攻木、攻金、攻皮、设色、刮摩和抟埴）。其中，"攻木之工"又可以具体分为七种，"攻金之工"则包括六种，"攻皮之工"包括五种，等等，总共有三十个工种之多，其各自的任务明确而清晰。这些工匠的工种不仅分工明细，而且能够相互协调合作，较大地提高了产品的生产效率，最大程度满足了当时社会生产和生活的需要。

《考工记》

《考工记》详细记录了当时工匠们的具体生产经验，以六大技艺门类为主。其中的重要内容包括车辆（车舆）的制作方法，兵器的制造程序和方法，城市建筑的规划和建造方法等实用内容。

不仅如此，《考工记》的另一个重要特色是考虑到在运用各种技术进行生产的过程中，环境、社会、时令、效果等综合因素的相互影响问题。在《考工记·匠人》中，专门提到在匠人们建筑城市和房屋等建筑物时，要特别强调建筑物的方位、布局以及与周围环境的协调问题，还专门分析了房屋高度和墙的厚度的关系等技术性很高的实际问题。特别是书中对技术产品的生产与效用、质量关系的研究很有价值。比如在武器的生产过程中，工匠们不仅要考虑兵器的坚固和锋利情况，还要顾及其他一些因素，其中包括兵器尺寸的长短。

因为如果长度过短,就失去了兵器原有的威力;而如果过长,使用起来反而不方便,甚至会伤及自身,这些都是武器加工制造中需要注意的事项。作者最后得出结论:"兵无过三其身。"又比如在弓箭的制造方面,《考工记》中系统分析了与弓箭有关的材料和力学原理。首先,要考虑制造弓箭的材料问题,"取六材必以其时";其次,还必须考虑弓的受力情况:"凡为弓,方其峻而高其柎,长其畏而薄其敝,宛之无已。"作者还强调,制造箭矢材料的物理性状是不能忽略的因素,工匠必须综合考虑弓箭运行中空气的阻力情况,以及相关材质和箭杆的设计等诸多因素。只有这样,发射弓箭才能达到最佳的实际效果。

事实上,《考工记》中不但保留了大量我国古代技术成就,而且还最早涉及了许多重要的科学理论问题的探讨(如力学理论问题)。以至于有的科学史家认为,《墨经》和《考工记》是我国春秋战国时期两部最伟大的科学技术著作。

在物理学方面,《考工记》明确记载了物体运动的摩擦力问题,在《总序》中考察车子的制造时,作者特别强调制造车子过程中存在的摩擦力问题:如果车轮着地面积过大,车子就不能快速行驶;另外,还要尽量使得轮子达到正圆,只有这样才能保证车轮均匀地接触地面;最后是必须考虑到轮子的半径问题,只有当轮子的半径大小尺寸合适时,才能保证车子的安全行驶。

在实用数学方面,《考工记》的贡献也很大。在这部著作中,涉及大量当时已知的数学成就,特别是几何学方面,它将几何学中的面积和体积的求解,以及弧、弦、切线等知识与工艺制造过程融为一体。我们可以毫不夸张地说,该书中所记录下的我国早期科学技术发展的丰富知识,对于后来材料学、力学等诸多领域的研究与实践产生了重大影响。

　　《考工记》在记述春秋战国时期科技发展情况的同时，还保留和传承着古代许多重要的科技文化精神和文化思想。例如在《考工记·总序》中，作者一开始就表明了《考工记》的宗旨："天有时，地有气，材有美，工有巧：合此四者，然后可以为良。"也就是说，科学技术的研究和应用，不仅仅是科技本身的事情，它必须和社会、环境等因素结合在一起；技术的创造和发明，必须全面建立在人的文化与生活的和谐基础之上。这正是科学技术价值的人文取向的思想萌芽，即使是在现代仍有重要的文化价值。

中国科技史上的坐标——《梦溪笔谈》

沈括的《梦溪笔谈》是我们了解和研究中国古代传统科学技术发展情况的一面镜子。在这部无所不包的百科全书式的著作中,沈括详尽记载和描述了当时社会生活和生产面貌的各个方面,使得我们能够较为全面地了解中国古代,特别是北宋时期科学技术发展的基本状况以及当时人们所取得的重要科技成就。为此,科学史家李约瑟称这部著作为"中国科技史上的坐标"。

一

《梦溪笔谈》是我国北宋时期著名科学家沈括的主要科学著作。据说它是沈括晚年在其所居住的梦溪园完成的,原名为《笔谈》,后世人称之为《梦溪笔谈》。沈括(1031—1095),字存中,号梦溪丈人,杭州钱塘(今浙江杭州)人,是我国古代最卓越的科学家和政治家之一。他在数学、天文学、历法、医药等领域都有很深造诣,并取得了一系列的科学成就,其思想对后世产生了重要影响。为了进一步了解沈括取得如此众多科学成就的原因,我们将首先从他的科学态度和科学研究方法入手来进行分析和总结。

中国古代的知识分子,特别是作为士大夫阶层的上层人物,往往以学习和研究儒家经典著作为正途,即所谓的"治国平天下";很少有人会涉猎生产劳动、科学技术方面的内容。他们大都鄙视技术性知识,斥之为不入流的"雕虫小技";在他们眼中,"书中自有黄金屋",除了不事劳作的读书之外,

"万般皆下品"。在这一点上,同古希腊的学者传统与工匠传统的分离很相似。但沈括却是少数不受这种成见影响的人,他不仅博览群书,重视收集和积累经过社会生产实践流传下来的实用科技知识,还身体力行,总要亲身参与到一系列的相关领域的科学研究之中,取得第一手资料。这在当时实在是难能可贵的。

例如,沈括对"石油"的考察研究。当沈括得知"旧说'高奴县出脂水'"这件事情后,并没有马上轻信这件事,而是决定亲自去作实地考察,以便具体了解所述"脂水"的真实情况以及其属性和用途。沈括在经过亲身的考察和研究之后,才最后确证了这件事,并在历史上第一次使用了"石油"这个词。为此他甚至还作诗一首:

> 二郎山下雪纷纷,
>
> 旋卓穹庐学塞人。
>
> 化尽素衣冬未老,
>
> 石烟多似洛阳尘。

另一个著名的例子则来自沈括对白居易《大林寺桃花》的诗句——"人间四月芳菲尽,山寺桃花始盛开"的考察。据说,沈括对这首诗所描写的内容一直表示质疑:难道山寺桃花的开放时间真的会与其他地方的桃花开放时间不同吗,白居易是否写错了呢?

为此,沈括专门作了亲身的考察,通过实地调查研究最后得出结论,肯定了白居易诗词的真实性。沈括还对这首诗中的所谓"反常"现象作了解释:白居易《大林寺桃花》中的诗句"人间四月芳菲尽,山寺桃花始盛开"是合乎常理的,这是因为不同地方的气候会受到地势高低的影响,平原的地势要低于山中的大林寺,这种情况造成两地气温的差异,地势较高的山寺桃花晚开是正常的。沈括还指出了其他一些类似的例子,例如笙竹笋,就是因为地势和气候温度的差异,有的二月就破土而出了,有的则在三四月才破土而出,还有的要到五月才破土而出。水稻的情况也是这样,有的稻子在七月左右成熟,而有的则是在八九月份成熟,而晚的要到十月才成熟。所以,沈括在《梦溪笔谈》中指出:"一物同一畦之间,自有早晚。此物性之不同也。"沈括在肯定白居易诗篇的同时,通过实地调查研究又获得了新的科学认识。

由此体现了沈括在科学上的"有条理的怀疑主义",即绝不盲从轻信的科学态度。沈括面对传统观念和见解,并不墨守成规,人云亦云。他从不盲从权威和传统观念,或者因画地为牢,而束缚自己的科学研究。

在《梦溪笔谈》中,沈括专门记录了这样一件事情。在陕西为官的时候,沈括听说一件趣闻:"关中无螃蟹",但在"秦州"有一户人家,他的家中却有上千只螃蟹,人们很不习惯螃蟹的样子,这种情况导致当地的人们非常害怕,认为这是些"怪物",甚至当某家有病人的时候,便去借一只螃蟹挂在门口以驱灾辟邪。沈括对当地人的所作所为很不以为然,他认为仅仅因为传言就相信螃蟹的这种功能,"不但人不识,鬼亦不识也"。不盲从,坚持实事求是,这是沈括作为一名杰出科学家的独特素质,也是他取得众多科学成就的重要原因。

沈括的科学思想代表了中国古代科学研究的典型思维方法,对其科学探索历程的考察,有助于我们全面理解我国古代科学的精神特质。在沈括的科学生涯中,以经验为基础的观察构成了科学研究最重要的一个环节。李约瑟在分析中国古代科学时,特别以沈括的思想为例。李约瑟援引了《梦溪笔谈》中沈括对"胆矾炼铜"的金属置换反应的描述:"有苦泉,流以为涧,挹其水熬之则成胆矾,烹胆矾则成铜。熬胆矾铁釜,久之亦化为铜。水能为铜,物之变化,固亦不测。"沈括成功观察和记载了这一化学现象。但遗憾的是,与我国古代的传统科学家一样,沈括往往对其中的原因未作深入的理论分析,其解释只是简单地诉诸阴阳五行学说:"有天五行、地五行,土之气在天为湿,土能生金石,湿亦能生金石,此其验也。……如木之气在天为风,木能生火,风亦能生火,盖五行之性也。"

由此可见,尽管我国古代科学家在实际的生产实践中发现了很多自然现象,并且作出了比较详尽的描述。但是,却没有上升到理论的、逻辑的分析层面,或者缺乏有目的的实验来验证他们的假说,或者仅仅停留在经验描述的水平上,或者只满足于某种笼统的哲学解释(比如中医学)。因此,在欧洲文艺复兴以后,我国传统科学与迅速兴起的西方科学逐渐拉开了距离。这是研究和普及中国古代科学技术成就时必须加以反思的地方。

二

《梦溪笔谈》是沈括写的一本笔记体的百科全书式著作,但成书的具体时间已经很难确认了。据胡道静先生考证,《梦溪笔谈》大约成书在 11 世纪末。但可惜的是,当时成书的宋版著作已经失传,目前现存最早的本子只是元代的刻本,而且原版中的部分内容也已失传。这的确是一个很大的损失。

沈括在《梦溪笔谈》这部著作中,记录了包括数学、历法、地理学、农业、军事、习俗、科举、建筑、音乐、天文学、医药、书画等各个方面的内容。当然,关于这些具体条目的数量,目前还有争议,比较公认的说法是有 609 个条目之多,其中 200多条是关于科学技术方面的。这确实是当时的一本最丰富的科技百科全书。它主要包括如下几方面的内容。

在天文学方面。沈括曾经在司天监任职,亲身从事过相关的天文学观测和研究,积累了大量的天文学知识。在天文学研究中,沈括特别强调经验观察在天文学研究中的重要性,为了提高天文观测的准确性,他非常重视对天文观测仪器的改造。据《宋史》记载,沈括曾对当时的浑仪、影仪等天文仪器进行过多次改进,大大提高了这些天文仪器的观察精确度。

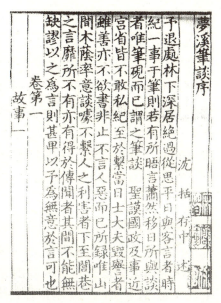

《梦溪笔谈》序

他在具体的天文观测过程中,发现了传统天文观测数据存在的一些问题,并进行了积极的改进。晚年的沈括奉命修订了《奉元历》,又提出了影响深远的《十二气历》。

在数学方面,沈括有许多重要的数学见解,事实上,在《梦溪笔谈》中,沈括记录的数学内容并不多,但在其中提出的数学思想却意义重大。这主要是沈括关于"隙积术"以及"会圆术"的记述和研究。其中,"隙积术"就是"算术求积尺之法",即求解物体体积的方法,沈括首创利用等差级数的方法求和,奇妙地解决了这一经典的数学难题。而"会圆术"则是通过弦长求解弧的解题思路,来计算弧长的一种近似方法,这是沈括颇有影响的数学贡献,这些数学思想对后世数学的发展产生了重大影响。

在工程技术方面,《梦溪笔谈》中有大量关于建筑、水利、造船、冶金等方面的内容,这是沈括对宋代以来工程技术成就的一次大的汇总。其中,最有影响的莫过于他对活字印刷术的记载,"庆历中,有布衣毕昇又为活板"。这是我国历史上印刷术发展的一次革命。沈括在《梦溪笔谈》中对中国传统技术和工艺技法的记载也非常详尽,例如炼制钢铁,"用柔铁屈盘之,乃以生铁陷其间,泥封炼之"。这些关于工程技术成就的记录为我国传统的工艺技术留下了大笔的宝贵遗产。

在物理学方面,沈括也取得了许多重要成就,这主要涉及磁学、声学(音乐)、力学、光学等领域。其中,最重要的是沈括发现了磁偏角现象,"然常微偏东,不全南也"这一现象的发现在世界历史上是最早的。又如我们刚刚提到的沈括在记录铜镜制造过程中分析了其中的原理问题,"小鉴不能全视人面,故令微凸",沈括进而研究了铸造透光镜的基本原理。(更详细的内容见"中国古代的物理学思想"部分)

此外,沈括在地理学、地质学方面的贡献也很大。例如沈括对雁荡山峰形成原因的研究,"为谷中大水冲激,沙土尽去,唯巨石岿然挺立耳"。沈括第一次科学地论证了水流侵蚀及沉淀在山脉形成中的重大作用,比英国人1802年提出的水流冲蚀理论早数百年之多。

在沈括常年的科学研究和为官生涯中,其著述颇丰,但流传到现在的著作并不多。其中,《梦溪笔谈》也由原来的30卷仅剩下现今的26卷。但不可否认的是,他在这些领域的贡献是杰出的。为了纪念沈括在科学上的杰出贡献,1979年紫金山天文台正式把2027号小行星命名为"沈括星"。沈括的科学发现以及科学研究方法都在中国古代科技史上占有重要地位,沈括及其著作《梦溪笔谈》是挖掘我国传统科技思想的宝库。

中国 17 世纪的工艺百科全书
——《天工开物》

　　《天工开物》是我国古代关于科学技术成就的一部综述性著作，也是明代最著名的百科全书式科技巨著。在这部著作中，作者宋应星结合自己的生活经历，经过十余年的写作，记录和总结了我国明代科学技术发展丰富的文献资料，不愧为"中国 17 世纪的工艺百科全书"。

一

　　为了进一步了解这部著作，首先从书名《天工开物》来分析。通过宋应星对此书的命名，不难发现该书的写作意图和大致特点。

　　何谓"天工开物"？据《易·系辞》，"天工人其代之"和"开物成务"的解释，我们可以把"天工开物"理解为"巧夺天工"与"开物成务"的组合。其中，所谓的"天工"，是与"人工"对应而言的，"天工"就是指非人力的自然；而"开物"，是指对自然物的开发和利用。两

《天工开物》

个词合在一起,"天工开物"的主要意思是指对自然物的开发和利用。

人们应该对自然的开发和利用持什么样的态度呢？这既是问题的关键,也是我们深入理解这部著作的一把钥匙。宋应星说,"盖人巧造成异物也","人为万物之灵",人们可以从自然物的属性出发,因势利导,"假人力,或由天造"。在宋应星看来,人与自然是一体的,所以,要在保证人与自然和谐相处的前提下,恰当地利用自然规律和"人工"来开发和利用自然。这是"开物"的基本原则。这就是说,人们要处理好人与自然的关系,要遵照自然规律去改造自然,但也不能夸大人力在征服自然过程中的作用。盲目强调人力的作用,效果往往适得其反。所以在《天工开物》的序中,宋应星特别指出:"天覆地载,物数号万,而事亦因之,曲成而不遗,岂人力也哉?"虽然自然界物产丰富,但这并不意味着这些自然资源可以随意开采。应当说这体现了我国古代科学家朴素的,然而又极其可贵的环境与生态意识。

在《天工开物》中特别表现出一种天人和谐的生态思想,其中的一条核心观念是"贵五谷而贱金玉"。"重农"与"重工"思想在《天工开物》中体现得很突出。在这种传统观念的影响下,《天工开物》着重记载了我国古代农业、工业和手工业技术方面的内容。在宋应星看来,这些实用知识和技术是最有价值和最需要记录下来传给后人的,它们事关每一个普通百姓的生活。需要指出,宋应星的这种价值观念与当时主流思想不同。因为对于传统的以读书考取功名的知识分子而言,这些技术是备受轻视的,不会受到人们的关注;而宋应星著作中这些以记述工匠、农民和手工业者的生产技能为主的内容,是超越于当时那个时代的,这种观念在当时实在是罕见珍贵。

宋应星自己也清楚这一点,所以他特别强调说,《天工开物》"于功名进取毫不相关也"。如果想要通过读书博得功名,那么,"丐大业文人,弃掷案头"。宋应星认为人们更应当关注这些涉及国计民生的生产技能,而绝不能轻蔑地称之为"奇技淫巧"。宋应星在收集材料和写作过程中,特别注意虚心向有经验的社会底层人士学习。在当时"万般皆下品,惟有读书高"的氛围下,宋应星的这种精神是极为难得的。宋应星经过长期的潜心钻研,终于为后人留下了这部辉煌的旷世巨著。

二

这里我们还想通过宋应星本人的生平,间接了解《天工开物》一书的背景。宋应星,1587 年生于江西奉新。其祖辈是当地的名门望族,特别是他的曾祖父进士出身,曾任明朝御史和吏部尚书等重要官职。但到了宋应星出生的时候,其家境已经开始衰落。宋应星小时候就饱读诗书,受到了良好的教育,并且,他兴趣广泛,读书并不仅限于科考的范围,诗歌、音乐等内容无一不通。1615 年,宋应星高中举人,前途似乎一片光明。但在此后的会试中,他却屡屡失败,这对宋应星来说无疑是一种沉重打击,使得他试图通过科举考试光宗耀祖的愿望破灭。最后,宋应星放弃了科举这条道路。这一经历当时对宋应星本人来说可能是残酷和不幸的,但从此,中国科技史上却多了一个伟大的科学家和一部伟大的科技著作《天工开物》。宋应星青年时期的经历为他以后写作《天工开物》打下了坚实基础。

按照中国古代的学术传统,《天工开物》并不属于正统的经典著作。所以,《天工开物》自出版以后,也一直没有受到人们的足够重视。加之当时社会环境动荡,导致全书逐渐流失。清代初期,《天工开物》才刊行了第二版,即使在后来的《古今图书集成》中,也未能对这本书予以充分重视,仅仅摘录了书中的一部分内容。而《四库全书》干脆没有收录这部著作,致使这部杰出的科技著作一直湮没无闻,没有能够在中国传统社会发挥其应有的影响和作用,这是极为可惜的。

力定弓试　箭端

《天工开物》中制造弓箭

但是,这部著作的光芒还是遮挡不住的。随着历史岁月的流逝,其价值逐渐显露出来。在其问世后的明清时期,该书受到了许多学者的重视,一些有识之士开始意识到了《天工开物》的意义和价值。例如,方以智、张廷玉等人都曾在其著作中提到宋应星的相关记述。大约与此同时,《天工开物》这部著作又陆续传入日本、朝鲜等国,并被译为日、法、英等文。由此,《天工开物》逐渐获得了国际相关学术界的注意,其对后世的影响也越来越大。在此以后《天工开物》开始被多次翻刻和修补,人们对其关注度越来越高。

《天工开物》共三卷18篇,所记述内容包括当时社会农业生产和手工技术的各个方面。宋应星按照"贵五谷而轻金玉"的原则,论述内容涵盖了农作物的种植、收割、加工以及盐、糖、油、酒等农副产品的制造,桑蚕的饲养,煤、矿物的开采,金属的冶炼加工,兵器机械的制造等。这部著作图文并茂,在记述大量科技成就的同时,作者还附上了一百多幅精美的相关插图。这对于后人理解和考察古代科技的真实情况大有裨益。

宋应星的《天工开物》体现出很强的实用性特征。在宋应星看来,"实用性"是评价"造物"的根本标准,因为"黄金,值高而无民耳"。只有能够提高人们生活水平的农业和手工业才最有实际用途,才值得记录下来。在我国明代,农业和手工业都已经有了长足的发展,为此,宋应星在这部著作中用了大量篇幅全面记述了这些方面的内容。

首先是在农业方面。宋应星系统总结了当时农业生产的基本经验,特别强调在农作物种植中水土、气候等因素对农业生产的影响,强调"种性随水土而分"。在《天工开物》的第一卷,宋应星用大量篇幅记录了水稻、小麦等农作物耕种、除害、灌溉以及农具的制造等诸方面的内容,这些经验性的总结和研究,丰富和发展了我国古代农学理论,促进了农业技术的发展,其内容极具实用性和理论价值。

其次,宋应星还详细记述了当时与农业相关的手工业的发展情况。随着当时经济的活跃,手工业兴盛起来,宋应星对这些技术进步作了系统的研究和记述。从《天工开物》第二卷起,宋应星就详细记载了从养蚕到结茧,制成丝绸、衣服的整个生产过程,并记下了布料染色的手工技术的程序。此外,宋应星关于食盐的生产和加工技术工艺的研究也颇具价值,这对后来的相关技术发展影响深远。

最后,宋应星系统论述了钢铁等金属的冶炼技术。金属冶炼在当时的社会生产中占有重要地位。宋应星对这些技术极为关注,他详实地研究和记述了大量的相关技术细节。特别是他关于"失蜡铸造法""反模铸造法"和"砂型铸造法"等铸造方法的记述与研究,对于保留我国古代冶金技术的精

天工開物卷上
乃粒第一卷

分宜教諭宋應星著

宋子曰：上古神農氏若存若亡，然味其徽號兩言，至今存亡生人不能久生而五穀生之，五穀不能自生而生人生之。土脈歷時代而異，種性隨水土而分。不然，神農去陶唐，粒食已千年矣，耒耜之利以教天下，豈有隱焉，而紛紛嘉種，必待後稷詳明其故也哉。紈褲之子，以赭衣視笠蓑，經生之家，以農夫為詬詈。晨炊晚饟，知其味而忘其源者眾矣。夫先農而繫之以神，豈人力之所為哉。

稻名

凡穀無定名，百穀指成數言。五穀則麻菽麥稷黍，獨遺稻者，以著書聖賢起自西北也。今天下育民人者，稻居什七，而來牟黍稷居什三。麻菽二者，功用已全入蔬餌膏饌之中，而猶繫之穀者，從其朔也。

稻

凡稻種最多。不粘者禾曰秔，米曰粳；粘者禾曰稌，米曰糯（南方無粘黍，酒皆糯米所為）。質本粳而晚收帶粘（俗名婺源光之類），不可為酒只可為粥者，又一種性也。凡稻穀形有長芒短芒（江南名長芒者曰劉陽早、短芒者曰吉安早），長粒尖粒、圓頂扁面不一。其中米色有雪白牙黃大赤半紫雜黑不一。濕種之期，最早者春分以前，名為社種（遇天寒有凍死不生者），最遲者後於清明。凡播種先以稻麥稿包浸數日，俟其生芽撒於田中，生出寸許，其名曰秧。秧生三十日即拔起分栽者，田畝逢旱乾水溢，不可插秧。遇期老而長節，即栽

天工開物 卷上 乃粒

一

《天工开物》第一卷

华有重要价值。宋应星还详细记述了冶炼、铸造金属合金等技术，特别是黄铜合金的冶炼方法，这一技术处于当时世界的领先水平。《天工开物》中的相关成就是我国古代工艺技术成就的代表。

中国古代工艺技术的特征

工艺技术是我国古代最具特色和代表性的科技成就,也是对世界文明产生重大影响的一个突出方面。中国古代技术对世界文明的推动,不仅仅局限于四大发明,根据《全球通史》的总结,仅在 5—15 世纪这一千年时间里,就有大量的中国传统技术发明传入西方,并对整个欧洲的人类事务产生极大的影响。《全球通史》中还列出了一些重要的技术发明(详见《全球通史》,第 336—338 页及《中华文明史》相关章节)。

中国传至西方的技术与发明	大约与现在相隔的世纪
方板链泵	15
轮式碾磨机	13
水力轮式碾磨机	9
水力冶金鼓风机械	11
叶片式旋转风选机	14
活塞风箱	14
拉式纺机	4
手摇纺丝机械(11 世纪出现的一种纺车上的均匀捻线锭翼,14 世纪水力已应用于纺机)	3—13
独轮小车	9—10
航海运输	11
车式碾磨机	12
有效耕畜挽具;胸带(左马驭者)	8
轭	6

中国传至西方的技术与发明	大约与现在相隔的世纪
石弓（单臂）	13
风筝	12
直升飞机螺旋桨（用绳索旋转）	14
活动连环画转筒（靠上升热气流转动）	19
深钻孔法	11
铸铁	10—12
卡丹式悬架	8—9
平圆拱桥	7
铁索桥	10—18
运河船闸闸门	7—17
航海制图法	10
船尾舵	4
火药	5—6
火药用于战争技术	4
磁罗盘（磁石匙）	11
磁针罗盘	4
磁罗盘用于航海	2
纸	10
雕版印刷	6
活字印刷	4
金属活字印刷	1
瓷器	11—13
螺钉	14
液体压力泵	18

中国传至西方的技术与发明	大约与现在相隔的世纪
曲轴	3
钟表装置	8

由上表可见,在 15 世纪以前,古代中国传入西方的科学技术发明,远远超过西方传入中国技术的数量。

这些伟大而众多的技术发明有何共同之处呢?

首先,中国古代的工艺技术与发明立足于社会生产与生活的实际需要。以"四大发明"为代表的中国古代技术发明,无一不是实用的技术产品,服务于政治、经济、军事等目的。为了农业生产的需要,人们不断发明了车辆、锄具、铁器等生产工具;为了政治的需要,人们发明和改进了天文学仪器,而非专门为了观测天象本身;为了日常生活的需要,人们发明了陶瓷器、笔墨纸张等。这就是说,工程技术的发展与社会需要之间存在直接联系,技术的进步直接源于社会发展的实际需要,社会需要成为技术发明的主要动力,而技术的发明反过来又推动了社会的进步。

其次,我国古代的技术成就依托于经验,具有鲜明的经验性和实用性特点。这就是说,古代技术以劳动生产的长期经验积累为主要的发展基础。例如,指南针的发明,是人们长期的经验性总结的结果,即使是在指南针开始普遍用于确定方位之后,人们仍对其中的原理不清楚,或者也不需要关心其中的原理;只是人们在生活中发现了这种现象,在经验中积累了相关知识而已。与西方强调理论思维相比,经验性在我国的技术发明中具有决定性影响。例如,沈括作为我国古代杰出的科学家,在《梦溪笔谈》中系统总结了指南针应用的四种方法,然而,由于历史的局限,他也没有深入探究其中的科学原理,只是简单归结于阴阳五行学说的定性解释,"磁石之指南,犹柏之指西,莫可原其理"。

最后,强调"道"与"技"的一体。在我国传统文化中,"技"往往只意味着一些小的技能技巧,它必须和大的天道相契合才能从根本上得到升华,否则只能停留在工匠的水平上,为此讲求"道"的意境至关重要。最典型的例子莫过于"庖丁解牛"的故事和中国绘画,求真乃是雕虫小技,体会天地大道,追求意境的卓越才是根本。

原典选读

论"百工"（引自《考工记》）

知者创物，巧者述之，守之世，谓之工。百工之事，皆圣人之作也。烁金以为刃，凝土以为器，作车以行陆，作舟以行水，此皆圣人之所作也。天有时，地有气，材有美，工有巧。合此四者，然后可以为良。材美工巧，然而不良，则不时，不得地气也。橘逾淮而北为枳，鹦鸪不逾济，貉逾汶则死，此地气然也。郑之刀，宋之斤，鲁之削，吴粤之剑，迁乎其地而弗能为良，地气然也。燕之角，荆之干，妢胡之笴，吴粤之金锡，此材之美者也。天有时以生，有时以杀；草木有时以生，有时以死；石有时以泐，水有时以凝，有时以泽；此天时也。

凡攻木之工七，攻金之工六，攻皮之工五，设色之工五，刮摩之工五，抟埴之工二。攻木之工：轮、舆、弓、庐、匠、车、梓；攻金之工：筑、冶、凫、栗、段、桃；攻皮之工：函、鲍、韗、韦、裘；设色之工：画、缋、钟、筐、慌；刮摩之工：玉、楖、雕、矢、磬；抟埴之工：陶、旊。

铸镜（引自《天工开物》）

凡铸镜模用灰沙，铜用锡和。《考工记》亦云："金锡相半，谓之鉴、燧之剂。"开面成光，则水银附体而成，非铜有光明如许也。唐开元宫中镜尽以白银与铜等分铸成，每口值银数两者以此故。朱砂斑点乃金银精华发现。我朝宣炉亦缘某库偶灾，金银杂铜锡化作一团，命以铸炉。唐镜、宣炉皆朝廷盛世物也。

关于造纸的记录（引自《天工开物》）

凡纸质用楮树皮与桑穰、芙蓉膜等诸物者为皮纸。用竹麻者为竹纸。精者极其洁白,供书文、印文、柬、启用。粗者为火纸、包裹纸。所谓杀青,以斩竹得名,汗青以煮沥得名,简即已成纸名,乃煮竹成简。后人遂疑削竹片以纪事,而又误疑"韦编"为皮条穿竹札也。秦火未经时,书籍繁甚,削竹能藏几何?如西番用贝树造成纸叶,中华又疑以贝叶书经典。不知树叶离根即焦,与削竹同一可哂也。

方术、化学及其他科学

　　如果我们单纯采用现代科学的概念和框架作为判断标准,那是很难完全准确和完整地涵盖我国古代所取得的科学技术成就的,因为这些成就是与整个中华文化形成一个有机整体的。所以在本部分,我们主要从传统文化的角度总体分析古代科学在化学、地理学等领域所取得的辉煌成就。受篇幅的限制,我们把这些内容放在一章之内进行简要介绍。

方术与中国传统文化

在我国传统文化中,"方术"占有一个非常独特的位置,相对于其他文化现象,它的含义和范围极为含糊而复杂。但不可否认的是其重要的影响力,它是理解传统文化和中华科技文明的一个重要视角。

什么是"方术"呢?在班固的《汉书》中,共记有六种图书:六艺、诗赋、诸子、兵书、数术和方技。所谓"方术",笼统来说也就是关于各种方技和数术的总称。其中,方技,就是通过"医经、经方、房中、神仙"四类达到延年、长生功效的"生生之具"。而数术,则泛指利用阴阳五行学说进行占卜、测算等活动及其方法的统称。广义而言,它不仅是指预测吉凶的占卜等,还包括数学、天文学、历法、堪舆等诸多内容。方术内容的庞杂以及它的神秘性,使其与古代科技思想混杂于一体。

一

　　方术传统在我国的历史悠久。在人类社会发展初期,各个民族都面临类似的困境——大自然狂暴无情,人类应该如何应对? 当时最自然的想法就是将自然界拟人化,把它想象成像人类一样具有喜怒哀乐情感的超人类,而且天人之间是相互感应的。人们试图通过某种神秘途径来预测天机、避开灾祸的愿望十分强烈。特别是人们在面对生老病死问题时,自然界的天威更是令人敬畏。在天人类比的思维模式下,数术的产生和发展是很自然的。这如同古老的巫术和图腾等原始信念一样,是人与自然发生矛盾时所产生的一种幻想式的解决方式,也可以看成是人类试图改变自然的开端。当然,它只是以想象的形式,而不是以理性的现实方式进行的。到了夏商周时期,方术的活动就已经有了相关记录,甚至还有了进一步的发展。

　　一般认为,在秦汉时期,特别是在"楚地",方术已经发展并逐渐完善起来了。例如在阴阳家、兵家等流派中,数术更是极为流行,甚至成为他们的不传之秘。这样一来,方术和数术一直在我国古代文化中占有重要的一席之地。"数术者,皆明堂羲和史卜之职也。"具体包括六种,即天文、历谱、五行、蓍龟、杂占和形法。我国传统文化的很多精髓也往往保存于这些数术方面的典籍著作之中,诸如数学、历法、天文学的诸多内容是与数术、方技密不可分,甚或是一体的。即便在秦始皇焚书坑儒时,也对医药、占卜、数术这方面的著作网开一面,这也在客观上推动了之后数术的发展和繁盛。到了汉代,特别是在汉武帝时期,方术地位得到了进一步提升。当然,随着儒学开始兴盛,数术在以后的历史发展中地位略有下降,但其影响力仍不可忽视。特别是到了唐代，数术又得到了飞速发展，尤其是在民间，占卜相术等形式的数术更是风行一时。其中最著名的例子莫过于袁天罡和李淳风对武则天代唐的数术预言的传说。隋唐时期的数术著作种类繁多，数量也很庞大。当时道教和佛教的兴盛也大大推动了数术研究的发展，它们的相关思想与数术结合起来，利用"数"来推断人事国运的吉凶祸福和兴衰。在此意义上，托比·胡弗在《近代科学为什么诞生在西方》中特别指出过：在中国古代人看来，天与地是由同一种原则，即"道"，这一自然秩序的创建性原则所支配的。在人类社会中任何与秩序相逆的行为都会破坏天与地之间的和谐关系，也可能会导致诸如洪涝、干旱、内乱这样的自然的或社会的灾害。因此天地秩序必须加以维持，上天选择具有出众品质即有"德"的人，并给他们指令即"命"以统治他们的人民。

数术和方技思想对我国古代科学的发展影响极大，起着十分复杂的作用。例如，我们在本书前文中对数学起源与特征等问题的介绍中，就提到了数术传统的深远影响，"古人'做九九之数，以合天道'的思想，是用数学概念及其运算法则来描述自然规律的一条途径"，又如"在中国传统数学的河洛起源说历史中，北宋儒家做了一件很特殊的工作，即他们开始用天地生成数图和九宫图来解释河图、洛图"。再如《易经》一书，"它是我国最古老的一部占筮之书，为象数之宗，也是术数之鼻祖"，"它的内容含有古代天文学、数学、音律、医理、生物等方面的知识；它的哲学体系对科学思想发展影响较大，在科学思想的发展史上占有重要地位"。其中比较突出的是方术中的炼丹术与数术，它们都和古代的医学思想紧密相关，其理论建立在阴阳五行学说的基础之上。当然，不可否认的是，数术的"运数"或"取象"传统存在诸多问题（如牵强附会和逻辑性不强等问题,后面将具体分析)。

在方术的诸多理论中,比较重要的包括炼丹术、堪舆术、占星术等方面的内容。其中,占星术与古代天文学是密不可分的。我国古代天文学的发展,总是贯之以占星术传统的,这部分内容我们已经在前文中讨论过,这里不再详细说明。而堪舆术也像占星术一样,立足于天人合一的观念,强调天地人之间存在着神秘数术关系,对中国传统文化有着重要影响(例如前面讲到的罗盘就曾广泛应用于堪舆)。而炼丹术则是方术中最为重要的一部分内容,它与古代科学技术的关系尤为复杂。这将是我们下面介绍的主要内容。

二

自古以来,追求长生一直是人们孜孜以求的美好愿望。但如何长生呢? 在我国古代神话中,所谓"灵丹妙药"往往是实现这一愿望的关键途径。例如在嫦娥奔月的故事中,正是长生的金丹使得嫦娥离开人间,飞升上天,到达仙境,成为月宫的仙子。在这种追求长生的理想的影响下,炼丹术的出现有其必然性。

炼丹术在我国文化史中一直占有非常特殊的地位。它不仅是我国的一种历史现象,也是一种重要的文化现象,在历史上产生了错综复杂的影响。按照炼丹术本身的理解,人类为了能长生不老,延续生命,必须依靠某种特殊物质的帮助来克服人体(肉体)本身的有限性。所以,炼金术或炼丹术的一般基本原理就是:"服金者寿如金,服玉者寿如玉。"通过对物质属性的类比,炼丹术士认为长生的关键在于改变普通人的体质,以便达到"脱胎换骨"。为此,以研究中国科技史而闻名的美国科学史家席文把炼丹术解释为"控时物质",即"黄白之术"。具体地说,古代炼丹术可以分为内丹和外丹两种。其中,所谓"外丹",主要是指试图借助外在的秘制药物和丹药来达到长生不老目的的方术,这主要包括服用黄白、金丹和仙药等。而"内丹",则是希望通过对人身体本身的内求,借助某些修炼方法(如练气)来实现延长生命的目标,这主要包括导引术、房中术和胎息术等。

从时间上看,一般认为在秦汉时期炼丹术就已经发展起来了。随着当时社会趋于稳定,社会生产力的发展,人们的生活水平得到了一定程度的提高,炼丹术的许多观念正好迎合了人们(特别是统治阶层)普遍渴望长寿甚至长生的愿望。在这方面,最有名的事例就是秦始皇在统一六国之后不断派出方士去寻求长生不老之药,特别是去海上蓬莱寻求"仙人不死之药"的故事。到了汉代,汉武帝也是一位有名的炼丹术的支持者,他热衷于组织大批方士炼制丹药,寻求长生之方。又如淮南王刘安,曾专门组织大批方士炼丹,并写下了关于炼丹术的著作。在这一时期,五行学说、数术思想已经发展和完善起来,它与道教思想相结合,逐渐形成了较为系统的、充满神秘色彩的炼丹术理论。

炼丹井(选自《彩色插图中国科学技术史》)

随之而来的是有关炼丹术的著作不断出现。在东汉时期,魏伯阳完成了《周易参同契》,这是现存最早的一部炼丹术著作。而葛洪则是这一时期的另一位代表人物,他是我国古代的著名炼丹家。在《抱朴子》一书中,葛洪对炼丹术作了详尽的记述和总结。在葛洪看来,经过"火法炼丹"或"水法炼丹"而获得的丹药,既可以做到"点石成金",又可以用来实现"延年益寿",所谓"神丹即成,不但长生,又可作黄金",从而把炼丹术和炼金术融为了一体。之后,陶弘景又写了《真诰》等著作。特别是到了唐代,炼丹术受到了极大的重视,开始进入历史上最繁盛的阶段。由于唐朝皇帝对道教的格外尊崇,使得炼丹术的地位也随之上升。孙思邈不但是当时著名的医学家,还是重要的炼丹家,他在《丹房诀要》等著作中详尽记录了唐朝时期炼丹术的主要理论思想和丹药的炼制方法及过程,其中的炼丹术涉及大量的化学实验和化学知识。唐玄宗于开元年间,开始收集道家的典籍著作,并编撰为《藏》(《开元道藏》),使大批和炼丹术、医药养生相关的著作得以保存下来。与此同时,炼丹术在中西交往过程中开始传入阿拉伯世界等地。

但人们逐渐发现,炼制的所谓丹药往往没有起到强身健体的作用,更不用说是长生不老了。特别是一直致力于追求长生的帝王们,有很多人就是因为服用丹药而丧命的,据不完全记载,我国历代王朝的皇帝都有因服用丹药而早亡的事例,这种情况在唐代尤为突出,一般认为至少有三四位唐代皇帝深受其害。受害原因主要是汞中毒(炼丹术最重要的物品)。甚至,许多西方著名人物也未能免于其害,如英王查理二世就是有名的受害者。在这种背景下,炼丹术的外丹传统开始走向衰落,大批有识之士开始反思和批判炼丹术的外丹传统,其中李时珍在《本草纲目》中的评价颇为中肯:"岂知血肉之躯,水谷为赖,可能堪此金石重坠之物久在肠胃乎？求生而丧生,可谓愚也已。"从此,以强调内练为特征的方法日益被重视,特别是在两宋之后,强调精、气、神相结合的内丹传统兴盛起来。医学、气功、方剂学和本草学等也随之发展起来,且影响日益扩大。

在我国的炼丹术传统中,丹砂(硫化汞)占有重要地位,它是炼丹术士普遍依赖的原料。这方面的化学知识是在炼丹术著作中最早记载的。方士们很早就发现了一种自然现象,这就是丹砂的属性与众不同,"烧之愈久,变化愈妙",于是想当然地认为,丹砂在炼丹方面是具有神奇效果的上好材料。炼丹家为了炼制出所谓的"灵丹妙药",往往需要从事一系列的"化学实验",他们身体力行,客观上积累了大量的化学和药学(相当于欧洲近代初期的"医化学")知识。而且,为了得到丹药,他们还必须设计和完善大批的相关实验设备,为此,丹炉、研磨器等实验器材也应运而生。虽然炼丹术无法真正实现人们追求长生的愿望,某些想法在现在看来确实有些荒诞不经,但是以上这些活动及其成果,应当说为近代化学的产生准备了较充分的资料和设备。遗憾的是,由于我国传统科技比较缺乏对众多化学现象机理的深入探讨,没有产生过类似欧洲的燃素说和微素理论,因此,中国的炼丹术传统没有直接导致近代化学在中国的产生。

与古代中国炼丹术传统不同,西方则主要是炼金术,而我国传统中的炼金术则从属于炼丹术传统。西方近代化学正是源自他们的炼金术传统,可以肯定地说,近代化学的产生与炼金术是密不可分的,正是欧洲的炼金术构成了近代化学的前身。

但是,这里有必要强调中国炼丹术中的积极因素。

首先,相对于中国传统的文化价值观念对劳动和动手操

159

作的轻视,炼丹术则更强调人的经验观察和操作能力,更为重视实践和实验活动在人们认识世界中的意义和作用,这是炼丹术在充满幻想的同时,又贴近现实社会生活的一面。

其次,炼丹术在追求长生和黄金的同时,也是积极探索自然奥秘的过程。在这一探索实践过程中,大量的经验知识和实践技术被保留和传承下来。例如中国"四大发明"中的火药,正是炼丹术的典型副产品,这是炼丹术给人类社会提供的丰厚馈赠。

最后,人们无可否认的是,炼丹术不仅对金属冶炼、生物学、医学、化学和药物学资料与设备的积累具有积极意义,而且随着中国炼丹术通过阿拉伯世界传入欧洲,其对西方近代化学的产生具有间接的,然而却是深远的影响。为此,著名科学史家李约瑟这样评价说:"整个化学最重要的根源之一,是地地道道从中国传出去的。"我国古代的大部分化学知识,或多或少与炼丹术传统相关。当这些炼丹家们将视野从灵丹妙药或黄金转向自然而探索真理时,现代意义上的科学家雏形就出现了。他们勤于动手操作,在理论和实验方面都很擅长,在此意义上,我们也可以更好地理解英国哲学家罗杰尔·培根的名言——炼金术为认识世界的最好方式之一。

地理学、矿物学等其他诸学科

　　除了数学、天文学、医学、工艺技术以及物理学等领域，我国古代科学还在其他诸多方面，如地理学、生物学、地质学、气象学等领域有着重要的贡献。这部分我们将对这些学科的成就作一简要介绍。

一

　　"地理"一词源自《周易》中的一句名言："仰以观于天文，俯以察于地理。"地理学在我国有着源远流长的历史。一个国家、一个民族的发展总是与地理学知识的积累与发展相关联。随着我国古代社会的发展，生产的进步，民族交往的不断扩大，人们相关的地理学知识也在相应增长。在我国早期著作《山海经》中，就已经记录了古代大量的地理学知识，特别是关于远古山川、河流的记载，很有参考价值。这是对我国古代地理状况的早期描述。所以，很多人把《山海经》作为我国古代最早的一部地理学著作。当时的另一部重要著作是《书经》（一说为《尚书》）中的《禹贡》。正如《中华文明史》所言，"流传至今的最古老的中国地理文献恐怕要数《书经》中的《禹贡》了，这部著作大约是公元前 5 世纪的作品"，"这部著作中不但列出了传统上所说的九州，而且还谈到了这九个州的土壤、特产以及流经这九个州的河流"。

　　秦汉时期，地理学有了长足发展。据说，萧何在随刘邦大军作战期间，每到一个地方，首先要做的一件事，就是收集

161

当地的户籍档案和地理图册等书籍。他认为这是比任何珠宝黄金还要珍贵得多的东西,这为刘邦最终战胜项羽起到了关键作用。自汉朝以来,地理学更加受到历代朝廷的重视,特别是班固《汉书·地理志》的出现,大大推动了地理学的发展。《地理志》这部著作也成为历代王朝地理学编著的主要范本。到了晋代,《地记》《地理书》等优秀的地理学著作开始大批涌现。其中,裴秀是魏晋时期最重要的地理学家,他为我国地理学的发展作出了重要贡献。朝廷任命裴秀主持编订了《禹贡地域图》,他在前人工作的基础上,进一步明确了地图绘制的基本理论(制图六体),影响深远。

三国时期,郦道元的《水经注》问世,这是我国历史上著名的一部地理学著作。郦道元(约 470—527),北魏,范阳涿鹿县(今河北涿州市)人,自小就游历过许多地方,尤其是在为官以后在周游四方的过程中他对地理学格外关注。他经过长时间的实际考察和研究之后,发现以前的地理学著作或多或少存在过于简练的问题,使人很难准确理解其中的确切信息。为此,他决心编写一部完整的地理学著作。郦道元以当时的《水经》为蓝本,对当时已知的地理学知识作了系统、精确而详尽的记述。经过多年的努力,郦道元终于完成了多达 40 卷本的《水经注》这部杰出的地理学巨著。在《水经注》中,郦道元对一千多条河流的水文特征作了精确描述,并对我国古代地理、地质状况作了详尽分类。《水经注》在我国古代地理学的发展史上占有重要地位。

五代隋唐时期,地理学知识越发受到社会各阶层的重视。这时的地理学主要表现为"图经"的形式,其中"图"就是指地图,"经"就是对地图的解释和说明。当时有名的地理学著作有《海内华夷图》《元和郡县图志》等。到了宋元时期,"图""经"的形式又被"地方志"取代,当时最重要的著作当属

《太平寰宇志》《舆地图》和《大元一统志》等地理学和地方志著作。

　　明代最著名的地理学著作是《徐霞客游记》。徐霞客（1587—1641），字振之，我国明代伟大的地理学家。像郦道元一样，徐霞客从小就对地理学感兴趣，他在多次科考失败以后，就把主要精力放在了地理学考察和研究方面。与传统文人不同，徐霞客特别注重对地理、地质地貌方面的亲身考察，甚至可以说，他一生中的一半时间都是在旅途中度过的。从二十多岁起，徐霞客就开始从事地理学的实地考察研究，他遍游祖国的山川江河，终于完成了《徐霞客游记》。徐霞客是我国对岩石地貌作出系统研究的第一人。徐霞客曾在云贵一带对这一地区的石灰岩地貌状况作了严谨、科学的调查研究，详尽地记录了当地岩石地貌的分布情况、地貌状况的类型及其差异情况，以及熔岩溶洞和钟乳石的性状结构，并分析得出结论：喀斯特地貌状况的成因主要是大水冲击侵蚀的结果。

二

　　在矿物学方面，古人很早就关注到矿物的地理分布和开采问题。在我国的早期著作，如《山海经》《禹贡》等书中都有许多关于矿物及开采的内容。在《史记》中就有这样的记载："黄帝采首山铜，铸鼎于荆山下，鼎既成，有龙垂胡髯下迎黄帝。"这是最早对矿物伴生问题的描述。在《管子》中特别记述了这样一种现象，"上有丹砂者，下有黄金；上有慈石者，下有铜金；上有陵石者，下有铅锡赤铜；上有赭者，下有铁"。宋代著名的矿物学著作是《云林石谱》，由杜绾（字季阳，号"云林居士"）编撰。此书于1118—1133年成书，是我国古代内容最完整和最丰富的一部石谱著作，约14000字。在这部著作中,杜绾所描述的石头多达 116 种。其中按性质分,有石灰岩、石钟乳、砂岩和含锰质或铁质的石灰岩、砂岩,有石英岩、玛瑙、水晶、叶蜡石、云母、滑石、页岩,还有金属矿物和玉类,以及化石等。它标志着古代矿物学发展到了一个新水平。其后在宋应星的《天工开物》、李时珍的《本草纲目》等著作中,都有大量关于矿物学的经典论述。

开采银矿(《天工开物》)

中国古代文化中还蕴含着丰富的动物学、生物学思想。在我国的早期著作《禹贡》中,就已经有了关于动物、植物相关知识的记载。李约瑟在经过详细的研究后,建议将《禹贡》作为"最古老的土壤学著作",而且认为,"土壤学连同生态学和植物地理学,确实都好像发源在中国"。而公元 304 年问世的《南方草木状》是一部著名的植物学著作,它以中国南方的植物作为主要研究对象,对我国南部,特别是广东、广西以及越南等地的植物种类、分布、属性、形态、特色和实际用途等内容作了详细研究。在动物学方面,明代屠本畯所著的《闽中海错疏》一书,对福建沿海水生动物,特别是鱼类的研究具有重要意义。在这部书中记录的鱼类就有近百种,而其他水生动物,如蛙类、哺乳动物等也有百种之多。实际上,从唐宋以后,动植物学方面的研究已经相当深入了,尤其是农学著作中,对动物学、植物学的研究日益系统化,比如《齐民要术》《农书》对与农业相关的动植物都有深入的研究。在农业生产发展的影响下,动物学、植物学与农学、医学、园艺学等领域相互交融并共同发展,尤其是《本草纲目》《救荒草本》《植物实名图考》等著作最为有名,它们都对近代以来动物学、植物学的发展产生了深远影响。

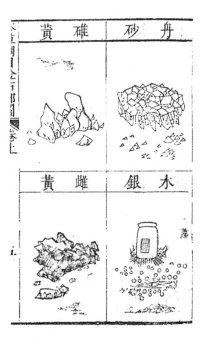

《本草纲目》中对雄黄等物质的记载

在地质学和地震学方面,李约瑟认为中国古代为现代人提供了最为丰富和翔实的地震学资料,"中国自古以来一直是世界上最大的地震区之一。因此,中国人自然会保存有大量的地震记载,而这些记录现在确实是世界地震记录中最悠久和最完整的一份"。在这方面作出最突出贡献的是地震仪的制造。西汉时期的张衡制造了世界上第一台地震仪,《后汉书》详细记载了这一发明,并且有比较具体的描述。据记载推断,这台候风地动仪器由精铜制成,体型像一个圆形的酒樽,其外表雕刻有精美的文字与鸟兽图,在仪器的四周铸造了八条神气活现的龙,龙口向下,而口中均叼有一颗铜球,其下为铜质张口的蟾蜍。当发生地震时,朝向地震方向的龙口中的铜球就会落下。可惜这台地震仪现已失传,据说毁于战火。现存的候风地动仪,是考古学家根据古书记载与现代科学知识复原的模型。据后来的历史记载,人们还曾经多次仿制成功过。(见"原典选读")

据史料记载,张衡发明的地动仪曾成功记录了公元138年发生在甘肃的一次强烈地震。这里有一个故事:一天,张衡的地动仪正对西方的龙口突然张开来,吐出了铜球。按照张衡的设计,这就表明西部发生了地震。可是,那一天洛阳没有任何地震的迹象,也没有听到老百姓反映附近哪里发生了地震。于是,人们对这个地动仪预测的准确性开始怀疑并议论纷纷,甚至有人污蔑张衡的地动仪是骗人的玩意儿。然而,过了几天,有人骑着快马来向朝廷报告,离洛阳一千多里的今甘肃境内的金城、陇西一带在那天果然发生了大地震,以至于山都崩塌下来了。这一事实证实了地动仪的准确性和可靠性。

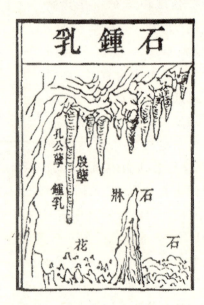

石钟乳(转引自《中国科学技术史》)

我国古代地质学中关于地质、地貌、溶洞、山川河流地质状况的研究也都极具特色。在这方面最有代表性的研究是朱熹和沈括等人关于山体成因的解释。朱熹写道:"五峰所谓一气大息,震荡无垠,海宇变动,山勃川湮,人物消尽,旧迹大灭,是谓洪荒之世。常见高山有螺蚌壳,或生石中,此石即旧日之土,螺蚌即水中之物。下者却变而为高,柔者变而为

刚。"而沈括对地质问题的研究也很著名,他写道:"今关、陕
以西,水行地中,不减百余尺。其泥岁东流,皆为大陆之土。"
这些研究都成为我国古代地质科学思想中的宝贵财富,它们
既是古人对自然界孜孜不倦探索的结晶,也是中国传统科技
文化为世界文明作出的杰出贡献。

原典选读

关于雁荡山成因的分析（引自《梦溪笔谈》）

予观雁荡诸峰，皆峭拔险怪，上耸千尺，穿崖巨谷，不类他山，皆包在诸谷中，自岭外望之都无所见，至谷中则森然干霄。原其理，当是为谷中大水冲激，沙土尽去，唯巨石岿然挺立耳。如大小龙湫、水帘、初月谷之类，皆是水凿之穴，自下望之则高岩峭壁，从上观之适与地平，以至诸峰之顶亦低于山顶之地面。世间沟壑中，水凿之处皆有植土龛岩，亦此类耳。今成皋、陕西大涧中，立土动及百尺，迥然耸立，亦雁荡具体而微者，但此土彼石耳。既非陡出地上，则为深谷林莽所蔽，故古人未见，灵运所不至，理不足怪也。

关于"溯江纪源"的考察（引自《徐霞客游记》）

江、河为南北二经流，以其特达于海也。而余邑正当大江入海之冲，邑以江名，亦以江之势至此而大且尽也。生长其地者，望洋击楫，知其大不知其远；溯流穷源，知其远者，亦以为发源岷山而已。余初考纪籍，见大河自积石入中国。溯其源者，前有博望之乘槎，后有都实之佩金虎符。其言不一，皆云在昆仑之北，计其地，去岷山西北万余里，何江源短而河源长也？岂河之大更倍于江乎？迨逾淮涉汴，而后睹河流如带，其阔不及江三之一，岂江之大，其所入之水，不及于河乎？迨北历三秦，南极五岭，西出石门、金沙，而后知中国入河之水为省五，入江之水为省十一。计其吐纳，江既倍于河，其大固宜也。

按其发源，河自昆仑之北，江亦自昆仑之南，其远亦同也。发于北者曰星宿海，北流经积石，始东折入宁夏，为河套，又南曲为龙门大河，而与渭合。发于南者曰犁牛石，南流经石门关,始东折而入丽江,为金沙江,又北曲为叙州大江,与岷山之江合。余按岷江经成都至叙,不及千里,金沙江经丽江、云南、乌蒙至叙,共二千余里,舍远而宗近,岂其源独与河异乎?非也!河源屡经寻讨,故始得其远;江源从无问津,故仅宗其近。其实岷之入江,与渭之入河,皆中国之支流,而岷江为舟楫所通,金沙江盘折蛮僚溪峒间,水陆俱莫能溯。既不悉其孰远孰近,第见《禹贡》"岷山导江"之文,遂以江源归之,而不知禹之导,乃其为害于中国之始,非其滥觞发脉之始也。导河自积石,而河源不始于积石;导江自岷山,而江源亦不出于岷山。岷流入江,而未始为江源,正如渭流入河,而未始为河源也。不第此也,岷流之南,又有大渡河,西自吐蕃,经黎、雅与岷江合,在金沙江西北,其源亦长于岷而不及金沙,故推江源者,必当以金沙为首。

关于"候风地动仪"(引自《后汉书》)

阳嘉元年,复造候风地动仪。以精铜铸成,员径八尺,合盖隆起,形似酒尊,饰以篆文山龟鸟兽之形。中有都柱,傍行八道,施关发机。外有八龙,首衔铜丸,下有蟾蜍,张口承之。其牙机巧制,皆隐在尊中,覆盖周密无际。如有地动,尊则振龙机发吐丸,而蟾蜍衔之。振声激扬,伺者因此觉知。虽一龙发机,而七首不动,寻其方面,乃知震之所在。验之以事,合契若神。自书典所记,未之有也。尝一龙机发而地不觉动,京师学者咸怪其无征,后数日驿至,果地震陇西,于是皆服其妙。自此以后,乃令史官记地动所从方起。

中西科技文化的对比
——对"李约瑟问题"的回应

　　至此我们简略介绍了中国古代科技文明史,这些科学技术成就为世界文明的发展作出了卓越贡献。正如培根指出的,印刷术、火药和指南针"已经改变了世界的面貌"。这足以说明中华民族是一个富有创造力的民族。作为结束语,我们想讨论一下如何用现代的眼光看待中国古代科学技术成就的问题。

　　本书同以往中国古代科技史的重要区别在于,它不仅介绍了中国古代的科学发现和技术发明,而且还要让读者能够进一步对中国传统科学技术及其产生与发展的模式作现代解读。这包括对中、西科学技术的对比与反思,其中引发的"李约瑟问题"更成为中外学者不断探索的难题:为什么近代科学革命只发生在欧洲,而没有出现在长期科技领先的中国文明中?

从社会史层面解读"李约瑟问题"

李约瑟本人是从社会文化的视角来研究中国科学技术史的,他认为中国的官僚体制是中国没有产生近代科学最主要的原因,因为这个体制有利于农业社会,而不利于工商业社会;它最初还适合于科学的生长,使中国科学一度领先,后来却阻碍重商主义价值观的形成,没有能力把工匠的技艺和学者发现的数学与逻辑方法结合起来。因此在科学发展中,中国没有成功地由经验科学上升到理论科学。而欧洲是贵族式体制,这个体制有利于工商业的发展,当贵族式体制被打破后,资本主义兴起,科学也就在工匠传统和学者传统的结合中诞生了。

一

国内的很多学者分别从社会的政治制度、经济制度角度,特别是从传统文化的角度对"李约瑟问题"作了大量的探讨。

先从政治制度角度讲,科学史学者戴念祖把近代科学不能在中国产生的原因归结于封建制度的长期束缚,认为封建专制的官僚政治是"科学赖以繁荣的民主制度的死敌"。例如明代《天工开物》一书的作者宋应星曾慨叹道:"丐大业文人,弃掷案头,此书与功名进取毫不相关也。"该书最终在"王孙帝子"、官僚遍布的时代失传了。戴念祖指出,中国在近四五百年间科学不发达的原因,不是中华民族比别的民族愚笨,而是专制的封建官僚统治扼杀了科学技术的发明创造。科学史学者刘钝认为,中国古代社会的"农业-集权-官僚"的属性,决定了中国古代科学技术自身的局限性。

而从经济制度与经济政策角度讲,中国封建社会缺乏资本主义生产的强大动力,是中国没有产生近代科学的决定性因素。长期占统治地位的自给自足的自然经济、重农轻商的经济政策、官局手工业对民间手工业的压制及由此导致的保守祖传技术秘密等因素,均严重阻碍科学的交流与传播,极不利于科学的社会化。

还有很多学者试图从文化系统的视角求解"李约瑟问题"。冯友兰曾在《为什么中国没有科学——对中国哲学的历史及其后果的一种解释》一文中指出,中国没有自然科学的原因,主要由于中国人的价值观。特别是新儒家强调"存天理,灭人欲",只求控制内心,不寻求控制外部世界;只在人心之内寻求善与幸福,而不寻求认识外部世界的确定性;只寻求对人的治理,而不寻求对自然界的征服。竺可桢也阐述了文化对科学的影响。他认为,中国人对实际活动的兴趣,远在其对于纯粹活动之上。此外,与传统文化密切联系的是教育领域所反映的社会的核心价值观。封建主义的奴化教育使知识界唯以科举八股文为尚,在这种教育制度的背景之下,人们的创造性的发挥,难于被引向科学技术的发明与创造方面,从而使中国科学技术发展较为缓慢。遗憾的是,科举制废除后,中国读书做官的流弊仍存。

二

不过,一些学者却没有注意到一个很关键、很值得反思的文化因素,这就是科学技术在我国古代传统文化的地位问题,即"格物"传统的问题。自近代以来,随着自然科学理论的不断传入,国人一直在努力用自己的语言翻译和解释"科学"一词,而人们一般是借用儒家的"格物致知"来指称自然科学。因为儒家有这样一句名言:"欲诚其意,先致其知。致知在格物。物格而后知至,知至而后意诚。"格物致知主要是在强调伦理道德方面的"知",不可否认它在意义上与"科学"有某种相通之处。然而,从这种翻译和理解中,我们从另一个侧面看到古人对待科学的学术价值的轻视态度。科学之所以有价值是因为它有用,但只是"雕虫小技""奇技淫巧",属于末流;而技术传统相对于科学思想而言一直占主导地位;科学思想以技术为先引,技术又以伦理为导向。为此,托比·胡弗说:"中国超越西方之处主要体现在技术方面。即自公元前 1 世纪至公元 15 世纪,'在将自然知识应用于实际的人类需要方面,中国文明比西方文明更为有效'。"这一优越性完全是技术实践性质的,而非理论理解性质的。

我们注意到,中西方传统文化在价值观上还有一个明显的区别。在西方文化传统中,"科学的核心是关于世界处于什么样的状态以及世界如何运行的系统理论知识。科学相对于技艺的认知,它具有思辨性,它总是猜想新实体、新过程和新机制的存在,更不要说科学存在的新世界了。它的任务就是评定哪些理念和实体真实地存在于这个世界"。而中国传统文化更强调经世致用,在人们的价值判断上表现出比较强烈的"实用主义""功利主义"色彩。中国古代科技的目标以实用为标准,科学技术更多的只是一种工具,也就是"术";而真理或知识本身是服从于实用价值的。实用主义传统决定了中国文化对科学的重视,事实上,历代朝廷和思想家都很重视自然科学知识对社会的影响和价值。科学技术研究的主体阶层一直主要集中在"官方",特别是一些地位较低的"士大夫"阶层。而科学技术的实用特征,还决定了我国传统科学是和古希腊以来"求真"或"求知"完全不同的科学传统。在传统中国文化中,毫无实用价值的知识是受到压制的。为此,黑格尔认为中国古代科学主要强调和看重的是科学的实用性,但缺乏"理论研究的兴趣",这造成"科学只是经验性的",是以社会和个体的需求为判断标准的。这是中西科学差异的一个不应当忽视的方面。

与此相关,古代中国科技具有强烈的人文色彩。在传统文化中,"修身、齐家、治国、平天下"始终是知识分子的基本价值追求,"格物致知"的目的是为了最终实现"平天下"。关注于社会和人类本身的核心价值观,决定了"格物"知识的伦理化和人文化。"有机械者必有机事,有机事者必有机心"的基本理解一直影响着人们的技术观,而庄子所描述的"庖丁解牛"的"技""道"合一更是深入人心。表面看来,"格物致知"所提倡的无疑与近代科学精神有着相似性。然而,朱熹和他的追随者首要强调的'物'不是自然规律,而是传统儒家信奉的伦理美德"。

从思想史层面解读"李约瑟问题"

近代科学没有产生在中国的原因,除了社会史,特别是文化传统的因素,还有思想史方面的因素。其中包括我们的哲学传统、思维方式以及方法论方面的因素,与产生近代科学的西方世界的这些因素可以说迥然不同。

一

首先,我们从中西方哲学传统的角度,特别是这种不同传统所导致的不同的自然观和科学技术观的角度来分析。

现代西方科学技术立足于所谓"知识就是力量"的哲学观念,而这种力量主要体现为对大自然的索取,即征服和开发。德国著名哲学家海德格尔,正是在这种意义上把现代技术的本质定义为"座架",正是这种压迫性的技术观导致了现代社会对自然的无度破坏。但中国自古以来传统的科学技术观,却一直立足于"天人合一"的传统观念。董仲舒对这种"天人感应"的传统观念的总结最为有名:"天人之际,合二为一。"在传统文化看来,人与自然界(天、地、人三才)同为"万物之本",它们是相互感应、相互影响的,共同构成了一个有机的整体。这种天人合一的观念,在一定程度上推动了古代科技的发展。尤其是在早期科学的发展过程中,人们把天人一体化,事实上克服了原始时期对上天的过度神秘化理解,由己可以知天,也可以由天而知己。这其实是肯定了认识自然的必要性和可能性,这在天文学方面体现得最为明显,认识天可以通过对天象的观察获得,天文学贯通了人事与天,这也反过来肯定了天文学的重要性。相对于西方天人紧张，甚至天人对抗的自然观，传统天人合一的观念决定了人与自然的和谐，可谓"赞天地之化育"。

但是，中国传统的思维方式，也在一定程度上限制了传统科技文化的发展方向。

天人合一的认识模式是建立在类比或想象思维基础之上的，在它背后起支配作用的乃是发达的辩证思维；特别是在以《易经》等为代表的传统思维方法当中，辩证思维一直是主要的思维模式，而严格的形式化的逻辑思维很难与之并行发展。正如李约瑟所说："当希腊人和印度人很早就仔细地考虑形式逻辑的时候，中国人则一直倾向于发展辩证逻辑。与此相应，在希腊人和印度人发展机械原子论的时候，中国人则发展了有机宇宙的哲学。如果说辩证逻辑对中国古代科技的发展起了十分巨大的指导作用，那么形式逻辑的缺乏则影响了中国古代科学体系的建立。"

其次，天人合一的观念决定了古代中国科学思维的整体论特征。古人将自然界、人类社会以及个人本身都视为一个有机整体，为此，对世界的认识必须着眼于人与自然界的整体性。但这种整体论自然观与近代分析科学兴起时所借助的机械论自然观相悖。当近代建立在还原论基础上的自然科学发展起来的时候，这种有机整体论思维与近代科学思维的确会产生冲突。所以，"从根本上说支撑近代科学的方法论的思想"之一"是笛卡儿所确立的'机械论'，即不考虑整体结构，对其部分进行分析"。而在中国"盛行的是另外一种非常不同的形而上学观。不同于西方受自然律支配的原子论或伊斯兰受神的意志支配的偶因论，我们在中华文明中发现的，是一个两种基本力量（阴、阳）与五行（金、木、水、火、土）持循环变换的有机世界"。这就是中国传统文化的现代性问题（即传统文化与现代社会的

178

接轨问题）。

最后，与上述中国传统思维方式密切相关的是，"体悟"在古代科技研究和传承中占有重要地位，尤其是在技术的发展方面表现得尤为明显和突出。例如，古人在形容某个能工巧匠时往往说他的技术达到了炉火纯青、登峰造极的境界，但何以达到这种境界？这要靠多方面的积累，如欧阳修描写的卖油翁，其惊人的倒油本领在本质上是"无他，唯手熟耳"，其惊人技术的取得，最关键的是靠经验的积累。但技术的精纯一般还有一个条件，即对事物的体悟能力，否则仅仅埋头苦干是不够的。可是，古代技术很少特别强调对知识的系统把握和学习，科技的传授多停留于师徒之间的口口相授，甚至以秘方的形式传播，"师傅领进门，修行在个人"正是对这种情况的确切描述。传统文化一直强调实践过程中对科学技术的领悟和把握，强调直觉和体悟在认识世界过程中的重要作用，而十分忽略形式逻辑的证明和推演。

这里需要特别指出的是，思维方式本身并无优劣之分，近年来，西方还原论思维的发展也遇到了重要问题，受到了批判性的反思。已经有不少学者意识到：整体论与还原论思维的结合才是未来科学发展的主线。

二

我们再从方法论上看中西科技文化的差异。我国古代学者主要使用的是类比思维方法，而没有发展出严格的形式逻辑的推理方法；同时古代数学的表述形式较落后，特别是数学应用于自然科学中的程度较低；以及实验理性不够发达等。

中国先秦时期是传统科学技术的发端期，诸子百家的自由争鸣将古代学术推向空前的繁荣，科学思想传统初见端倪。然而,先秦时期与古希腊在对自然现象的解释方式上存在较大差异。以杠杆定律的发现为例,在本书前面我们提到,先秦时期的《墨经》对杠杆原理的解释,基本上停留在经验描述方面;而古希腊时代的阿基米德却诉诸形式逻辑的工具,在他的《论平面的平衡》一文中,仿照几何学的公理化体系的形式提出一系列力学公设,并由此逻辑地导出了十五个定理,最后在对定理的证明中得出:两重物平衡时,各自力臂的长度与它们自身的重量成反比。

产生上述解释方式差异的原因,与东西方语言逻辑方面的差异有着密切的关系。尽管中西方早期的逻辑研究都因论辩而兴,但后来却走上了截然不同的发展道路。在论辩方法上,中国古人注重类比,而西方人注重分析。例如,苏格拉底的"助产术"是从对方的论题出发,一步步推导出一个矛盾命题,运用归谬法击败对手;而韩非则是以守株待兔、买椟还珠之类的寓言说服对方。用分析法进行的论辩,使古希腊的学术思想迅速向理性化的方向发展;而用类比法进行的论辩,则妨碍了先秦学术思想走向抽象化和理性化。在中国,由于逻辑研究的薄弱,一直没有发展出逻辑理性的解释方式,使得先秦学术思想的发展很难系统化。因此,诸如《墨经》等古典名著对力学和光学等问题的讨论只能停留于经验水平之上。

此外,数学表述形式问题和数学方法在自然科学中是否被广泛应用,决定着科学理论体系的形成、发展及其成熟程度。西方世界自毕达哥拉斯学派开始,就非常重视数学方法。在古希腊哲学的各大学派中最先把数学不仅看做知识,而且当成研究自然的方法的,首推毕达哥拉斯学派。毕达哥拉斯从"数是万物本原"的自然观出发,提出"数的德性应该是完全的、均匀的、和谐的","宇宙间存在数学上的和谐"的假说。而柏拉图继承了科学方法论上的毕达哥拉斯主义倾向,提出:人们认识自然的顺序应当是从"理念"开始,到"数理对象"(即算术数和几何图形),再到"可感觉事物"。他身体力行,提出了数理天文学中十分重要的"柏拉图原理";阿波罗尼乌斯和希帕克斯又分别提出本轮-均轮概念和偏心圆概念;之后,托勒密集前人之大成,在《至大论》中完成了由一系列数学模型所构成的完整的地心体系。西方科学史上这样一种"自然数学化"的科学文化传统,先是为近代经典力学和天体物理,然后为化学,最后为生物学成为理论自然科学,奠定了坚实的基础。

如前文所述,中国古代文明中有许多杰出的数学成就。刘徽的割圆术、祖冲之对圆周率的研究、天元术、四元术等,这些重要成果标志着中国当时的数学研究达到了相当高的水平。中国数学还发展了出色的计算技术和计算机以前最有效的计算工具——算盘。可是,在中国古代数学发展史上,没有出现公理化的数学理论体系。这既妨碍了作为科学工具的数学自身的发展,也阻碍了抽象化、系统化科学知识体系的形成和发展。另外,中国算学的经典著作《九章算术》包括 264 个数学问题以及解题的答案,但对于与此有关的数学理论却没给予足够重视。刘徽在《九章算术注》中不但整理了解题方法的系统,而且创立了许多新方法,但也没有形成欧几里德几何那样的数学范式。

在明清之际耶稣会士将《几何原本》传入中国后,中国开始注重几何学的应用。徐光启不仅与天主教耶稣会传教士利玛窦合作翻译了《几何原本》,还力图在数学基础上构建科学大厦,他提出的"度数旁通十事"充分体现了这一理想。但是腐朽的明王朝只"对于引进西洋火器、火炮等应用技术积极主动,对于实验科学的倡导和鼓励,则几乎闻所未闻"。紧跟而来的明清战争,更是彻底粉碎了学者们实学救国的理想。几何的应用随着明朝的灭亡也一起被尘封在历史中。

我们再来看中西方实验方法运用方面的差异。科学实验对西方近代科学的产生和发展有着重要的作用。尽管在古希腊时代占主导地位的是代表着学者思辨传统的逻辑和数学方法,但是,代表工匠传统的阿基米德却非常重视实验方法,所以他被科学史家丹皮尔称为"近代型物理学家"。甚至在后中世纪,尽管亚里士多德的三段论占据主导地位,但一些唯名论经院哲学家,如牛津大学校长罗伯特·格罗塞特和他的学生罗吉尔·培根仍大力提倡科学实验方法。如前所述,在他们的直接启发下,提奥多里克成功地解释了虹的生成原因。两百年后,意大利文艺复兴的代表人物达·芬奇更加突出强调实验的重要性。而近代科学大师伽利略把科学实验与数学方法相结合,创造了实验-数学方法,从而发现了落体定律、单摆定律,以及抛射体运动规律,为牛顿力学的诞生奠定了知识的和方法论的基础。

而实验传统在我国古代始终未成气候,尤其缺乏特定的实验。中国古代"道器之辨"中,"器"的位置从属于"道",中国读书人喜欢引经据典,诉诸权威,轻视工匠及实验活动。具体地说,除了天象观测出于占星的目的而备受重视,物理学和化学实验则很少进行。即使少数的人(如炼丹家、沈括等)做了某些实验,也很少受到重视。例如,在清初博物学家刘献庭所著的《广阳杂记》里,曾记载这样一段话:"磁石吸铁,隔碍潜通。或问余曰:'磁石吸铁,何物可以蔽之?'犹子阿孺曰:'犹铁可以隔之耳。'其人去而复来曰:'试之果然。'余曰:'此何必试,自然之理也。'"一句"自然之理",就否定了实验的必要。

总之,我国古代科学技术史是展示中华文明的一面镜子，它展现了我们的祖先所取得的辉煌灿烂文化和物质成就，也反映了中国传统文化和思维的基本特质。源自中国大地的传统科技文明数千年生生不息，源远流长，滋养着一代又一代的中国人。在这片沃土上生长起来的科学技术，像我们的母亲河黄河一样，是一条异于西方文明的滔滔大河。祖国的传统科学技术，以传统民族精神为命脉，自成一体，和贯通了五千年历史的文化生命共同融于中华文明的精髓之中。在浩瀚的历史长河掩映下，巧夺天工的科技成就令世人瞩目。只有从对传统文化的精华与弱点的分析入手，用现代的眼光去审视中国古代科学技术的发展历程及其经验教训，经过一系列的反思、扬弃、清理和筛选，才能发现传统文化的特殊基因继续发展的新起点，这是中国民族文化真正地走向世界的必经之路。

结　语

　　作为结束语,我们想从另外一个角度谈谈中国科技文明的后现代意义。其中涉及如何看待近年来"东学西渐"的趋势问题。

　　前面我们归纳了对"李约瑟问题"的一些尝试性诠释。但是应当说,"李约瑟问题"并不存在唯一解。何况这一问题现今已远远超出对中国科学和文明的认识与评价。李约瑟是站在世界史高度提出他的"问题"的,其最终目的是要推进不同文化之间的相互理解。既然李约瑟所要问的是"为什么"而不是"是什么"的问题,因此,"李约瑟问题"既有其深刻性,又有较大的涵盖面。它既涵盖科学技术史,又涵盖文化史;既涵盖中国乃至东方文明,又涵盖欧洲文明;既涵盖古代,又涵盖近代。把这个问题简单地说成是"伪问题"是于事无补的。

　　其实,李约瑟不是第一个关注中国传统文化的外国学者。回顾近代史,德国哲学家兼科学家莱布尼兹就是欧洲 17世纪的一位"中国通"。进入 20 世纪以来,从文化上的"西学东渐"而发展到"东学西渐",似乎已成为一种趋势。这同西方现代科学发展遇到的一系列问题,特别是与自笛卡儿以来的"主客二分"哲学观念相矛盾的问题密切相关,而这些问题在西方哲学的"武库"中难以找到资源,于是西方学者开始把目光转向了有五千年文明史的中国,特别是转向了中国古典哲学。

普利高津在《确定性的终结:时间、混沌与新自然法则》中文版序中写道:"西方科学和西方哲学一贯强调主体与客体之间的二元性,这与注重天人合一的中国哲学相悖。本书所阐述的结果把现代科学拉近中国哲学。自组织的宇宙也是'自发'的世界,它表达一种与西方科学的经典还原论不同的整体自然观。我们愈益接近两种文化传统的交会点。我们必须保留已证明相当成功的西方科学的分析观点,同时必须重新表述把自然的自发性和创造性囊括在内的自然法则。"

正如乐黛云先生所言,近年来西方文化显示了对他种文化,特别是中国文化的强烈兴趣。乐先生还特别提到一位法国学者曾经写过一篇题为《为什么我们西方人研究哲学不能绕过中国?》的文章,作者认为"穿越中国也是为了更好地阅读希腊",他说得何等好啊!

英国历史学家汤因比认为在世界各国的古文化中,以阴阳为代表的中华文化是最古老的文化。他在《谁将取代西方的主导地位》一文中非常肯定地说:"人类已经掌握了可以毁灭自己的高度技术文明手段,同时又处于极端的政治、意识形态的营垒中,最重要的精神就是中国文明的精髓——和谐,中国如果不能取代西方而成为人类的主导,那么,整个人类的前途是可悲的。"

这说明了什么呢?它表明,有五千年文明史的中国,其传统文化确实有相当多值得研究的领域。中西方科学模式的差异来自思维方式的差异。我国传统的整体思维方式是以有机论的观点,把自然界看成一个各部分相互关联的有机整体。比如中医学,其理论体系就是一种建立在整体观基础上的整体论模式。而欧洲近代科学作为一种分析科学,则把研究对象看成孤立系统,不考虑与其他系统间的关系,而这些研究对象都是自然界的个别局部。这种分析思维方式和我国整体思维方式恰好相反,因此近代科学没有在我国产生是很自然的事情。

然而,我们必须看到,整体思维方式和分析思维方式是相辅相成的,它们适合于科学发展的不同阶段。当近代科学从分解分析逐渐走向综合的时代,整体思维方式将起到不可替代的作用。这正是产生今天的所谓"东学西渐"趋势的重要原因之一。

综观 20 世纪以来东西方文化交流的历程,我们会发现,乐戴云先生所说的现象绝非个别。我们不妨看看以下几个例子。

例如,与爱因斯坦齐名的丹麦物理学家尼尔斯·玻尔于 1937 年应邀访问中国期间,非常惊奇地发现:他 10 年前即 1927 年所倡导的量子力学的并协性原理又称"互补原理",居然在中国的古典文明中就有它的先河。他认为中国的"阴阳圆"(太极图)是并协性原理的最好标志,于是在访华 10 年后的 1947 年把中国的太极图作为他获得丹麦皇家"大象"勋章的族徽,并加上了"对立即互补"的铭文。

又如,1977 年诺贝尔化学奖得主伊利亚·普利高津以自组织系统理论来看待生命现象,并把对结构的研究转向变化过程。他于 1980 年发表的《从存在到演化》,广泛吸收了《易经》和道家著作中的思想。他在另一著作《从混沌到有序》的序言中指出:"中国文明对人类、社会与自然之间的关系有着深刻的理解。……因此,中国的思想对于那些想扩大西方科学的范围和意义的哲学家和科学家来说,始终是个启迪的源泉。"特别是普利高津在其晚年(1996)发表的《确定性的终结:时间、混沌与新自然法则》一书中说:"我们认为,我们确

实处于一个新科学时代的开端。"他特别指出："中国传统的
学术思想是着重于研究整体性和自发性,研究协调和协和,
现代新科学的发展,近十年物理和数学的研究,如托姆的突
变理论、重整化群、分支点理论等,都更符合中国的哲学思
想。"他还预言："西方科学和中国文化对整体性、协同性理解
的很好结合,将导致新的自然观和哲学观。"

再如,美国物理学家 F. 卡普拉 1975 年发表的《物理学之
道——近代物理学与东方神秘主义》在探讨了现代物理学的
最新成果与包括佛教、道教以及印度教在内的东方神秘主义
哲学之后,将二者进行深入比较,得出"近代物理学的新概念
与东方宗教哲学思想惊人的相似"(或具有"平行性")的结
论。卡普拉还研究了中医学中"气"的概念,确立了整体论的
健康观。他于 1981 年出版的《转折点——科学、社会和正在
兴起的文化》一书,特别是其中第十章《整体与健康》中详细
论述了他的这些观点。

再比如,哥本哈根学派的最后一位大师、"黑洞"(black
hole)一词的发明者、美国著名现代宇宙学家 J.A.惠勒十分推
崇中国古代的文化思想。他的每次讲演,几乎都要提到当年
玻尔把太极图当做"互补原理"标志的事。特别在其赴华演
讲集《物理学与质朴性》中,更是表现出对于中国古典文化的
惊叹。因为 J.A.惠勒曾经提出过"物理学的质朴性"概念,认
为:物理学是当代科学的骄子,但整个物理大厦却建筑在"一
无所有"之上,而从"一无所有"我们导出了几乎"所有一切"。
1981 年 10 月,他应邀到中国访问期间观看了舞剧《凤鸣岐
山》,当他得知姜子牙指挥一切的旗子上写的就是"無"
(NOTHING)之后,表现得异常兴奋,一定要记下这个繁体
中文字"無"的字样来。因为这和"质朴性"原理可以说是不
谋而合,他所倡导的这种科学哲学观竟然在东方的远古找到

了思想的先驱,他怎么能不感到惊叹和兴奋呢!

值得深思的是作为现代复杂性科学之一——协同学的创始人哈肯甚至还说过,他创立协同学是受以整体思维为特征的中医学等东方思维的启发。他认为,协同学和中国古代思想在整体性观念上有深刻的联系。他在其名著《协同学——自然成功的奥秘》一书的序言中说:"协同学含有中国基本思维的一些特点。事实上,对自然的整体理解是中国哲学的一个核心部分。"

类似这些例证可以说不胜枚举。毫无疑问,这一切统统都是所谓"东学西渐"趋势的具体表现。

总之,"李约瑟问题"的提出使中国科技史研究进入一个新时期——有的学者把它叫做中国科技史研究的"李约瑟时代"。其实,它的意义何止于此!

在 21 世纪的今天,我们研究中国古代科技史,要有民族文化的自信,更要有民族文化的自觉。只有在民族文化自觉的基础上,才能真正实现民族文化的自信,否则是盲目的文化自信。所以,不能停留在介绍古代科技知识的传统的"科学普及"层面,而必须超越这个层面,即从"公众理解科学"的层面,从文化的、哲学的、方法论的和精神气质的角度,来反思我国的传统文化,挖掘其精华,剔除其糟粕,通过几代人的工作,才能更好地把中华民族真正优秀的传统文化展示给全世界。这是历史交给我国科学史工作者和科学传播工作者的神圣使命。